D0409465

afgeschreven

Last Minute

Linda van Rijn

Last Minute

***

Wie hen door de gonzende stationshal van Amsterdam Centraal zag lopen, zou denken dat het stelletje smoorverliefd was. Die zag niet zijn hand, die zich met een ijzeren greep om de hare had geklemd. Die zag niet haar hart, dat bonsde tegen de binnenkant van haar ribben, en het zweet dat zich in straaltjes een weg over haar rug baande. Die had niet de woorden gehoord die hij even daarvoor op perron 13b in haar oor had gesist en die haar hadden doen verstijven. Die zag niet dat zij op haar benen stond te tollen door wat hij haar net had toegebeten. Die zag hen naar buiten lopen via de passages met rode kozijnen, een groep tegemoetkomende luidruchtige Britse toeristen met rolkoffertjes ontwijkend. Die zou hen in een taxi zien stappen en hen daarna direct vergeten. Die wist niet dat ze bij zijn huis zouden uitstappen, dat zij nog één blik om zich heen zou werpen en zich bij het naar binnen gaan zou realiseren dat ze een onvergeeflijke fout maakte. Die wist niet dat zij niet langer kon vluchten voor haar verleden.

***

1

'STIJNTJE!' SUSAN WATERBERG OPENT DE DEUR VAN DE kinderkamer. Het is er schemerig dankzij het rode rolgordijn dat het zonlicht enigszins buitensluit. De warmte daarentegen valt amper tegen te houden. Die dringt door het raam en door de poriën van de muren de kamer binnen. De fan aan het plafond draait zwiepend z'n rondjes, maar brengt geen verkoeling. Verplaatsing van warme lucht, meer is het niet.

Susan snuift de vertrouwde geur van slaap en Zwitsal op. Ze is blij dat Stijn een uurtje onder zeil is geweest. Vannacht werd hij elk halfuur wakker, jengelig van de warmte. Susan hoopt dat het middagdutje het slaapgebrek heeft gecompenseerd. Stijn zit al rechtop in zijn peuterbed. De dekens liggen in een verwrongen knot aan het voeteneind. Susan vouwt ze terug. Ze voelen klam aan.

'Mama!' Stijn grijnst. Zijn voortanden staan een beetje scheef. Volgens de tandarts komt het goed als zijn melkgebit verdwijnt. Zo niet, dan moet hij later misschien een beugel. Stijn als dwarse puber met een buitenboordbeugel – Susan kan zich er nog niets bij voorstellen. Maar aan de andere kant, toen hij als klein, glibberig pakketje op haar buik lag en ze voor het eerst heel voorzichtig zijn toen nog donkere haartjes streelde, had ze ook nooit bedacht dat hij drie jaar later een blozende peuter zou zijn.

Stijns blonde haartjes zitten door de war, en hij heeft één vuurrode slaapwang. 'Hé, vent', zegt ze. 'Heb je lekker geslapen?'

Bij wijze van antwoord klautert Stijn uit bed. Het bed dat hij drie weken geleden, op zijn derde verjaardag, heeft gekregen. Het grote bed, zoals hij het zelf gewichtig noemt. Susan kijkt naar hem, zoals hij daar in zijn hemd en onderbroek zit. Hij heeft overdag zelfs geen luier meer nodig. Hij wordt groot.

'We gaan naar beneden', kondigt Stijn aan.

'Even wachten.'

Susan trekt het rode rolgordijn omhoog en laat het zonlicht de kamer binnenstromen. Stofjes dansen in de lichtstraal en landen op het bruingevlekte kleed op de grond, dat ze nog geen twee maanden geleden bij een woonwinkel hebben gekocht en dat nu al sleets begint te raken. Susan vond het leuk de koeienhuid in Stijns kamer te leggen, omdat hij een grote voorliefde heeft voor die beesten. Hugo vond het onzin, maar had haar uiteindelijk haar zin gegeven.

'Mama.' Stijn wordt ongeduldig.

Susan pakt Stijns blauwe korte broek en rode polo van de commode. De kleren zijn nog vochtig van vanochtend.

Ze trekt de withouten kast open en pakt een kaki korte broek en een blauw T-shirtje van Cars. Stijn laat zich gewillig aankleden, maar protesteert als Susan de haarlotion pakt en zijn vlassige krulletjes probeert te temmen

'Het is al goed', mompelt ze. Ze pakt het witte zonnepetje van de commode, zet de fan uit en steekt haar hand uit naar haar zoon. 'Ga je mee naar beneden?'

'Zandbak?' vraagt Stijn hoopvol.

'Nee, boterham.'

Beneden in de keuken smeert Susan een boterham met leverpastei voor Stijn. Ze snijdt hem in stukjes en neemt het bordje mee naar buiten. Stijn draaft achter haar aan. Hij is een makkelijke eter, altijd al geweest. Alleen broccoli krijgt ze er met geen mogelijkheid in, verder eet hij alles. Zelfs spruitjes.

Susan zet het plastic bordje op de tuintafel en loopt weer naar binnen om de Tripp Trapp-stoel te pakken.

'Zandbak?' Met het eerste stukje brood al in zijn mond kijkt Stijn verlangend naar de groene schildpad die tegen de muur van het huis aan ligt.

Susan lacht en zet hem in zijn stoel. 'Eerst even je boterham opeten.'

Terwijl Stijn in razend tempo de dobbelsteentjes brood wegkauwt, kijkt Susan de tuin rond. De warmte heeft de planten geen goed gedaan. De hedera die hun tuin van die van de buren scheidt begint uit te drogen, hoewel Hugo elke avond de sproeier aanzet. Susan heeft de margrieten in de potten tegen het hek dat de scheiding vormt tussen hun tuin en het gemeentegroen vandaag al een keer water gegeven, maar dat kan niet voorkomen dat de bloemen in hoog tempo uitbloeien. Het kleine grasveld vertoont dorre plekken rond de plastic glijbaan, die ze hebben neergezet voor Stijn omdat het speeltuintje voor hun huis vaak wordt gedomineerd door groepen rokende hangjongeren.

Stijn slikt het laatste stukje brood door en kijkt haar verwachtingsvol aan. 'Op! In de zandbak.'

'Ja, je mag in de zandbak.' Susan zet hem op de grond en haalt het deksel van de schildpad. Ze draait het groen-wit gestreepte zonnescherm een stukje verder uit, zodat Stijn in de schaduw komt te zitten. Daarna loopt ze met het lege bord naar binnen, vult een rode, plastic beker met wat ranja en pakt voor ze weer naar buiten loopt een fles zonnebrand en haar laptop.

Stijn zit zo druk te spelen dat ze de ranja maar even laat staan, maar ze smeert zijn blote armen en benen en zijn gezicht en nek wel in met zonnebrand. Stijn merkt het nauwelijks. Verwoed graaft hij met zijn schepje kuilen in het zand en vult hij vormpjes voor zandtaartjes. Zijn broek is nu al groezelig.

Susan klapt haar laptop open en zet haar zonnebril op. Zelfs in de schaduw van de zonwering is het lastig om iets op het scherm van haar computer te lezen. Ze knijpt haar ogen tot spleetjes en haalt haar e-mail binnen. Wat nieuwsbrieven, een aanbieding van een reisbureau en een paar berichten van verschillende vrienden met wie ze tot een gezamenlijke afspraak proberen te komen. De eerstvolgende datum dat iedereen kan is half oktober, omdat één stel beweert geen weekend meer vrij te hebben. Susan trekt een gezicht tegen het computerscherm.

Ze opent een mailtje van Rosanne, de vrouw van Hugo's jeugdvriend Bart. Het is alleen aan haar gericht. Rosanne spuwt haar gal over Leo en Didi, de vrienden die menen nooit tijd te hebben. Susan glimlacht en pakt haar mobiele telefoon.

'Sjezus', zegt Rosanne als ze opneemt. 'Heb je dat gelezen?'

Susan grinnikt. 'Wat een stelletje idioten, hè. Wegens drukke werkzaamheden, wie schrijft dat nou in een mailtje naar vrienden? Alsof we een zakelijke bespreking proberen te plannen.'

'Ik ben er helemaal klaar mee', zegt Rosanne uit de grond van haar hart. 'Wat mij betreft plannen we gewoon een gezellig etentje zonder die idioten. Ik heb al zo vaak aan Bart gevraagd waarom we überhaupt nog moeite doen om die mensen uit te nodigen. Zo gezellig is het niet als ze er zijn.'

'Precies', zegt Susan, die zich de scherpe opmerkingen die Didi tijdens het vorige etentje plaatste nog precies voor de geest kan halen. Ze liet tot drie keer toe merken dat haar kinderen op Stijns leeftijd een stuk duidelijker konden praten, en zelfs al een paar woorden konden lezen. Susan vond dat Stijn zich prima ontwikkelde en nadat ze dat fijntjes tegen Didi had gezegd had de vrouw haar de rest van de avond niet meer aangekeken. 'Ze doen echt alsof ze mijlenver boven ons staan', zegt ze tegen Rosanne. 'Alsof ze beter zijn dan wij omdat Leo een nieuwe Mercedes heeft. Laten we eerlijk zijn, wat heeft Didi nou helemaal bereikt in haar leven?'

Het is heerlijk om te kunnen roddelen over het stel aan wie ze zich al veel langer ergert. Blijkbaar heeft Rosanne hetzelfde gevoel, want ze zegt: 'Ik stel voor dat wij gewoon een etentje plannen met z'n vieren en dat we het aan Leo en Didi overlaten om met het initiatief te komen voor een datum waarop ze wel kunnen. Dat zal wel volgend jaar worden.'

'En dat lijkt me vroeg genoeg', lacht Susan. 'Ik vind het leuk om met z'n vieren te gaan barbecuen als het mooi weer is.'

'Ik mail je daarover', belooft Rosanne. 'Ik moet nu de deur uit.'

'Prima. Ik zie het wel op de mail.' Susan hangt op en klikt het mailtje van Didi weg. Vrienden die zich zo gedragen kan ze missen als kiespijn. Het is dat Hugo bijzonder gesteld is op Leo, anders had Susan het contact allang laten doodbloeden. Aan Bart en Rosanne heeft ze veel meer. De vriendschap is weliswaar ontstaan doordat Hugo en Bart jeugdvrienden zijn, maar inmiddels is er tussen haar en Rosanne ook een hechte band ontstaan. Ze bellen elkaar een paar keer per week en als Hugo en Susan eens weg moeten, kunnen ze Stijn altijd een middagje bij Rosanne en Bart onderbrengen. Zelf hebben ze geen kinderen. Tot hun grote verdriet, weet Susan. Ze voelt zich dan meestal ook te bezwaard om Rosanne te vragen op Stijn te passen, maar het is een prettig idee dat het, als de nood aan de man is, een mogelijkheid is.

Er komt een agendamelding op in haar scherm. Sinds Susan de MacBook een halfjaar geleden van Hugo heeft gekregen, heeft ze haar papieren agenda niet één keer meer gebruikt. Alles doet ze nu digitaal, ze vergeet zelden nog een verjaardag.

De melding is kort. *Trouwdag, nog 7 dagen.*

Meteen herinnert ze zich waarom ze het in haar agenda heeft gezet. Vijf jaar. Susan heeft nooit begrepen waarom het de houten bruiloft wordt genoemd, maar een mijlpaal is het wel. Vijf jaar waarin ze een huis hebben gekocht, Stijn hebben gekregen, samen gelukkig zijn geworden. Jaren waarin ze langzaam heeft geleerd niet meer elke seconde te denken aan...

Nee, roept ze zichzelf streng tot de orde. Niet nu. Ze moet een verrassing voor Hugo bedenken. De mijlpaal moet worden gevierd met meer dan hun jaarlijkse etentje bij The Red Sun, aan de overkant van het Gooimeer in Blaricum. Niet dat het daar niet lekker is, of bijzonder. Vorig jaar zaten ze twee tafels bij Linda de Mol vandaan, wat haar bloednerveus maakte. Hugo begreep niet waarom. Alsof Linda oog voor hen had.

Ze klikt de agendamelding weg en komt weer terug bij haar mailbox. Doelloos scrolt ze door haar berichten, alsof ze daar het antwoord vindt op de vraag waarmee ze Hugo kan verrassen. Er zit een nieuwsbrief tussen van een of andere restaurantrecensiesite waar ze laatst een bericht op heeft geplaatst om haar gal te spuwen over de slechte bediening bij een nieuwe Griek in Almere-Stad. Twee weken later was de tent alweer verdwenen, tot Susans genoegen.

Ze scrolt door de nieuwsbrief. Misschien moet ze een reservering maken bij een van de restaurants die altijd in de top tien staan, hoewel ze niet weet of ze Hugo daarmee een groot plezier doet. Hij gaat graag uit eten, maar vijfhonderd euro voor één avondje weg...

Susans oog valt op een aanbieding van een reisorganisatie. Vorig jaar heeft ze er een gids opgevraagd en sindsdien krijgt ze wel vaker zulke mails. Meestal delete ze die ongelezen uit haar Postvak In.

Haar blik glijdt over de hotelaanbiedingen. Foto's van turkooizen zeeën en diepblauwe zwembaden met lachende mensen op glijbanen omringen de stuntaanbiedingen. 'Last minute-aanbiedingen' staat er in grote gele letters bij. Laatste kans, voorseizoenaanbiedingen. Het is half juni geweest, over minder dan drie weken begint het hoogseizoen. De aanbiedingen gelden alleen deze en volgende week. Voor de vijfhonderd euro waarvan ze net heeft besloten die niet bij een duur restaurant uit te geven, kan ze al een weekje weg betalen. Althans, voor één persoon.

Susan kijkt naar Stijn, die probeert de taartjes van zijdezacht zand bij elkaar te houden, maar ze storten meteen in tot vormeloze hoopjes. Ze denkt aan de vakantie die ze voor de boeg hebben. Met z'n drieën naar L'Escala in Spanje, waar ze voor de derde keer hetzelfde appartementje hebben geboekt. Het duurt nog ruim twee maanden voor ze naar Spanje vertrekken. Pas als de zomervakanties in Nederland voorbij zijn, begin september.

'Waarom meer geld uitgeven dan nodig?' vroeg Hugo toen Susan zei dat ze liever eerder wilde. 'Het scheelt tweehonderd euro als we buiten het hoogseizoen gaan. Bovendien staan we uren in de file in Frankrijk als we tijdens de zomervakantie gaan.'

Hij had gelijk, natuurlijk, maar Susan heeft zin om even helemaal weg te gaan en september duurt nog zo lang. Ze hebben een drukke tijd achter de rug. Zij omdat haar collega op het kleine accountantskantoor waar ze als secretaresse werkt met zwangerschapsverlof was en werd vervangen door een uitzendkracht die slechts de helft van de vrijgevallen uren werkte en bovendien van haar taken geen kaas had gegeten. En Hugo omdat hij het nu eenmaal altijd druk heeft. Het is een lastige tijd voor zelfstandig ondernemers en Hugo moet alle zeilen bijzetten om zijn bedrijf in IT-diensten en webdesign de crisis te laten overleven. Hij heeft zijn ooit zevenkoppige personeelsbestand flink uitgedund en is verdergegaan met zijn rechterhand Danny en een wisselend team van freelancemedewerkers. Volgens Hugo hebben ze het ergste van de crisis achter de rug, en dat betekent dat hij het drukker heeft dan ooit. Nu hij qua opdrachten weer op het oude niveau zit maar bijna geen vaste mensen meer heeft, maakt hij zelf meer dan zestig uur per week om al zijn klanten naar tevredenheid te kunnen helpen. Op het dieptepunt van de crisis had Hugo overwogen het kleine kantoor dat hij huurde op Gooisekant op te zeggen. Nu Waterberg Webdiensten weer goede tijden kent, is Susan blij dat hij dat niet heeft gedaan. Het laatste waarop ze zit te wachten is haar huis bevolkt door de computernerds die voor Hugo werken.

Ze richt haar aandacht weer op de reisaanbieding. Met één muisklik verlaat ze de nieuwsbrief en komt ze terecht op de website van de reisorganisatie. Ze klikt op een foto met aanlokkelijke palmbomen en een azuurblauwe zee. Een rijtje aanbiedingen verschijnt op het scherm. Willekeurig klikt ze er eentje aan.

Acht dagen Sunset Beach Resort, leest ze. *Gelegen nabij het centrum van de gezellige badplaats Hurghada bevindt zich het prachtige Sunset Beach Resort. Dit viersterrenresort is van alle gemakken voorzien. Of u aan het strand wilt liggen, cultuur wilt snuiven, wilt duiken of helemaal tot rust wilt komen in het wellness-center, Sunset Beach Resort maakt het allemaal mogelijk. Boek vandaag nog uw reis en ontdek wat Hurghada allemaal te bieden heeft!*

Duiken. Hugo heeft een paar jaar geleden zijn PADI gehaald en laatst zei hij nog dat hij het jammer vond dat hij er zo weinig mee deed. De laatste paar jaar is het duiken er behoorlijk bij ingeschoten. Als ze naar Egypte gaan, kan Hugo eindelijk weer eens gebruikmaken van zijn duikbrevet. Misschien kan zij zelf ook wel een paar duiken maken. Ze heeft het wel eerder gedaan, al heeft ze de cursus om een brevet te halen niet afgemaakt. Het IJsselmeer was koud en donker en dat motiveerde haar niet bepaald om verder te gaan met de cursus. Maar de Egyptische wateren zijn natuurlijk heel wat anders.

Susan scrolt heen en weer over de pagina. Vijfhonderdvijftig euro per persoon, duur is het niet. Ze klikt een paar andere hotels aan, maar komt uiteindelijk toch terug bij het Sunset Beach Resort, dat er het aantrekkelijkst uitziet.

Het is niet dat ze de vakanties in Spanje met hun gezinnetje niet leuk vindt, maar de foto's van het tropische strand en de wuivende palmen hebben iets bij haar losgemaakt. Een verlangen om samen met Hugo weg te gaan, ook al is het maar een week. Ze weet zeker dat haar schoonouders best op Stijn willen passen. Vakantie krijgen moet ook geen probleem zijn, ze heeft vrije dagen genoeg.

Ze surft naar de website van ING en logt in met haar codes. Er staat ruim vijftienhonderd euro op haar rekening. Hugo vindt dat ze haar salaris voor drie dagen werken niet hoeft te gebruiken om mee te betalen aan het huis. Hij verdient genoeg om in z'n eentje de hypotheek te kunnen ophoesten. Susan wil niet afhankelijk zijn en betaalt daarom vaak de boodschappen en kleding voor Stijn van haar eigen rekening. Nu is ze blij dat ze de laatste tijd wat heeft gespaard. Ze kan de vakantie boeken zonder dat ze daarvoor bij Hugo hoeft aan te kloppen.

In een opwelling pakt ze haar telefoon en sms't Danny. Ze heeft zijn nummer nog uit de periode dat ze hoogzwanger was van Stijn en Hugo veel in bespreking zat.

Hi Danny, denk je dat jullie Hugo volgende week een weekje kunnen missen? Niets tegen hem zeggen, ik wil hem verrassen met een reis. Groetjes, Susan

Ze weet niet eens of het nummer nog wel klopt. Zo niet, dan zal ze iets anders moeten verzinnen.

Susan staat op en loopt naar binnen. Ze pakt een glas water en doet er ijsblokjes in. Zelfs het kraanwater is lauw. Uit een laatje haalt ze een tube Zwitsal zonnebrand met hoge factor. Stijn heeft haar lichte huid geërfd en verbrandt levend in de zon.

'Nee', zegt hij geërgerd als ze wat van de witte substantie op haar hand doet en zijn gezicht ermee insmeert. 'Neehee!'

Hij probeert haar hand weg te duwen, maar Susan slaagt er toch in zijn gezicht en nek in te smeren. Stijn kijkt haar boos aan en keert haar dan de rug toe om verder te spelen met zijn vormpjes.

Susan gaat weer achter de laptop zitten. Met een druk op de powerknop haalt ze hem uit de slaapstand. Het Egyptische resort verschijnt weer op het scherm.

Snel belt ze haar baas. Hij sputtert een beetje als ze zegt dat ze op korte termijn vrij wil, maar kan het haar toch niet weigeren. Susan staat immers altijd klaar als er een invaller nodig is. Ze krijgt toestemming om een hele week vakantie op te nemen, als ze belooft dat ze de week erop een dag extra komt werken om in te halen wat er is blijven liggen.

Ze hangt op en meteen piept haar mobiel twee keer kort achter elkaar. Ze heeft nog een ouderwetse, zonder beltonen als symfonieën en ook zonder internetverbinding. Hugo probeert haar al tijden over te halen net als hij een iPhone te nemen, maar Susan vindt het genoeg dat ze met haar eigen telefoon kan bellen en sms'en.

Het berichtje is van Danny. *Doen! We redden het hier wel zonder hem. Gr. Dan*

Susan wordt steeds enthousiaster over het plan. Verlangend kijkt ze naar de palmbomen op het scherm. Ze drukt op de snelkeuzetoets van haar mobiel om haar schoonmoeder te bellen.

'Dag, lieverd', zegt die hartelijk als ze opneemt. Susan weet dat haar schoonmoeder haar beschouwt als de dochter die ze nooit heeft gekregen.

'Hai, Katrien.'

'Wat leuk dat je belt. Is alles goed?'

'Ja, zeker. Warm is het, hè?'

'Hou op, schei uit. Ik ben binnen gaan zitten, omdat het buiten niet uit te houden is. Houdt Stijn het nog een beetje vol?'

Susan werpt een blik op haar zoontje. 'Vannacht kon hij niet slapen door de warmte, maar net heeft hij een middagdutje gedaan. Gelukkig maar, want als hij moe is, is hij niet te genieten.'

Katrien grinnikt. 'Dat heeft hij van Hugo.'

'Zeg dat wel.' Terwijl ze met haar schoonmoeder praat, scrolt Susan door de foto's die op de website van het Sunset Beach Resort staan. Dan zegt ze: 'Over Hugo gesproken. Ik realiseerde me ineens dat we dit jaar vijf jaar getrouwd zijn. En daarom wil ik hem graag verrassen.'

'Vijf jaar alweer? Ongelooflijk hoe snel de tijd is gegaan.'

'Ja, hè? Normaal gesproken vieren we onze trouwdag altijd met een etentje, maar omdat het ons eerste echte jubileum is, wil ik graag iets bijzonders voor hem doen.'

'Wat lief van je', zegt Katrien. 'Heb je al iets in gedachten?'

'Een reisje. Naar Egypte.'

Aan de andere kant van de lijn slaakt Katrien een verraste kreet. 'Wat leuk! Wat een goed idee van je.'

'Het lijkt me heerlijk om er samen even helemaal uit te zijn', zegt Susan. 'Hugo heeft het de laatste tijd zo druk gehad met de zaak dat we elkaar niet veel hebben gezien. Ik wil heel graag tijd met hem doorbrengen om te vieren dat we vijf jaar getrouwd zijn. En eigenlijk wilde ik vragen of jullie misschien op Stijn kunnen passen.'

'Natuurlijk', antwoordt Katrien, die verzot is op haar kleinkind. 'Zeg maar wanneer.'

'Tja... Ik zit op de site van de reisaanbieder te kijken en ze hebben een last minute-aanbieding voor aanstaande maandag. Dat is dus over drie dagen.'

'Geen enkel probleem', zegt Katrien meteen. 'Zoals je weet hebben wij alle tijd.' Susan is wel eens jaloers op haar schoonouders, die altijd zuinig hebben geleefd en daardoor anderhalf geleden genoeg reserves hadden opgebouwd om allebei met vervroegd pensioen te gaan. En dat terwijl Katrien nog zestig moet worden.

'Echt super dat het kan!' roept Susan verrukt uit. 'Ik laat de crèche gewoon doorgaan, dus heb je drie dagen je handen vrij. Wij zijn dan de week erop weer terug, op dinsdag.'

'Wacht even, Suus, Bert roept iets.' Susan hoort haar schoonmoeder overleggen. Dan komt Katrien weer aan de telefoon. 'Bert zegt dat het misschien handig is als we in jullie huis gaan zitten. Dan hoeven jullie Stijns spullen niet te versjouwen.'

'Dat zou helemaal fijn zijn. Maar is dat voor jullie niet vervelend?'

'Welnee. Wij zitten hier ook maar de verf van de muren te kijken.'

Dat is niet waar, weet Susan. Haar schoonouders zijn juist zelden een hele dag thuis. Sinds hun pensionering hebben ze allerlei hobby's opgedaan die uiteenlopen van linedancing tot een Pakistaanse kookcursus. Gelukkig wonen ze niet ver bij Susan en Hugo vandaan, dan hoeft in elk geval één van de twee geen les over te slaan als ze in hun huis logeren.

'Echt heel erg bedankt', zegt Susan. 'Ik ben ontzettend blij dat jullie dit willen doen. Dan kan ik nu gaan boeken.'

'Geen dank', zegt Katrien. 'Je weet hoe dol we op Stijn zijn. Ik ben benieuwd hoe Hugo op je verrassing reageert!'

Susan hangt op. Ze zoekt in haar telefoon het nummer van Stijns crèche op en belt op. Ze krijgt Chantal aan de telefoon, de vestigingsmanager die bij gebrek aan personeel zelf ook een paar keer op de groep van Stijn heeft gestaan. Susan kent haar inmiddels goed. 'Hai Chantal, met Susan Waterberg. De moeder van Stijn.' Dat laatste voegt ze er ten overvloede aan toe, Chantal is een kei met namen.

'Dag, Susan. Hoe gaat het?'

'Goed. Heel goed, zelfs. Ik sta namelijk op het punt om een last minute-vakantie te boeken.'

'O, wat heerlijk!' roept Chantal uit. 'Waarheen?'

'Egypte.'

'Lekker zonnig. En nu bel je zeker om te laten weten dat Stijn afwezig zal zijn?'

'Nee, Hugo en ik gaan samen. We vieren dat we vijf jaar getrouwd zijn. Mijn schoonouders passen op Stijn.'

Chantal kent Katrien en Bert wel, een enkele keer halen ze Stijn op als Susan en Hugo het allebei niet redden om op tijd bij het kinderdagverblijf te zijn. 'O, prima', zegt Chantal. 'Dan zien we hen wel verschijnen. Vanaf wanneer is het?'

'Vanaf maandag.'

'Gaan jullie zo snel al weg? Heerlijk voor je. Geniet er maar lekker van!'

Als Susan de verbinding heeft verbroken, scrolt ze nog wat door de reviews die bij het hotel van haar keuze zijn geplaatst. Ze kan niet één negatieve ontdekken. Verder zoeken is niet nodig. Dit is hem.

Ze klikt op 'data en prijzen', selecteert de datum van aanstaande maandag en binnen tien minuten is de reis geboekt en betaald via iDEAL. Susan kopieert de foto's van de website naar Word en typt er het woord 'Verrassing' bij. Dan geeft ze de opdracht het A4-tje uit te printen. Binnen, in de werkkamer van Hugo, begint de printer te pruttelen.

Ze verheugt zich nu al op het gezicht van Hugo als hij thuiskomt.

***

Vol ongeloof staarde zij hem aan. Nachtmerrie, dat was het enige woord dat in haar opkwam. Dit moest een droom zijn waaruit ze zo meteen zou ontwaken. Het bedrag dat hij noemde was absurd.

Hij bleef haar aankijken, knipperde niet eenmaal met zijn ogen. Hij meende het.

En zij zou niet wakker worden.

Haar mond was droog. Het kon niet waar zijn, het kon simpelweg niet. Als haar vader dat bedrag echt van hem had geleend, had ze dat moeten weten. Dan had hij haar dat verteld. Of anders had ze dat in de jaren daarna wel ontdekt.

Hij schudde zijn hoofd op haar vraag of dit een grap is. Zei dat hij haar jarenlang ermee weg had laten komen, maar dat het genoeg geweest was. Hij had het geld nodig, en zij moest het hem bezorgen.

Nu.

Zij kon maar één ding bedenken, een noodsprong, een uitvlucht, ook al was het maar tijdelijk. Ze deed een stap naar voren en legde haar hand op zijn borstkas. Vroeg of er geen andere oplossing was.

Hij schudde zijn hoofd, maar greep haar bij haar taille.

***

2

'HIER, IK HEB HEM AL!' ZWETEND TILT HUGO SUSANS rode Samsonite van de bagageband. Zijn lichtblauwe poloshirt vertoont donkere plekken. Susan wuift zichzelf koelte toe met haar paspoort. Het is minstens vijfendertig graden in de aankomsthal. De vele toeristen die zich verdringen rond de bagageband waar honderden koffers over zijn uitgestort maken het er niet veel beter op.

'Nu de mijne nog.'

Hugo zet haar koffer voor haar neer en stort zich weer in het gedrang rond de band. Susan kijkt naar hem. Het blauwe honkbalpetje op zijn hoofd geeft hem iets jongensachtigs. Stijn heeft precies zo'n petje.

Hugo heeft zich en weg naar voren gebaand en staat nu met zijn handen in zijn zij geplant te wachten tot zijn koffer voorbijkomt. Zijn kakikleurige korte broek komt tot net boven zijn knieën, daaronder zijn zijn behaarde kuiten zichtbaar. Kippenpootjes noemt hij ze zelf. Susan vindt niet dat hij gelijk heeft. Hugo heeft geen dikke benen, maar zijn wekelijkse squashavond met Danny heeft zijn kuiten wel gespierd gemaakt. Ze kent ieder plekje van zijn benen, van zijn hele lijf. Vijf jaar en zo vertrouwd. Ze beseft dat ze geluk heeft gehad met een man als Hugo.

'Hè hè, ik heb hem.' Hugo zeult zijn eigen donkerblauwe koffer naar haar toe. Hij trekt het handvat uit zodat hij de koffer op wieltjes achter zich aan kan trekken. 'Laten we snel naar de douane gaan. Misschien is de rij nog niet zo lang.'

Ze manoeuvreren door de mensenmassa in de richting die de borden aangeven. Susan kijkt naar de Arabische teksten. Ze heeft zich nauwelijks gerealiseerd dat ze in een islamitisch land zijn. Het enige waar ze naar heeft gekeken zijn de zonnige foto's op de site van het hotel.

Hugo was compleet overdonderd toen ze hem vrijdagavond haar verrassing gaf. Met het A4-tje in zijn hand stond hij haar verdwaasd aan te kijken.

'Bedoel je...?'

Susan had geknikt. 'Acht dagen, alleen wij tweetjes, om te vieren dat we al zo lang bij elkaar zijn.'

'Maar Stijn...'

'Is geregeld.'

'En mijn werk. Ik moet...'

Susan had zijn mobiele telefoon uit zijn hand geplukt en achteloos op tafel gegooid. 'Ook dat is geregeld. Danny houdt de boel draaiende. Hij sms'te dat je best een weekje weg kunt.'

Pas toen Hugo besefte dat alles in kannen en kruiken was, nam hij haar in zijn armen en kuste haar uitgebreid. 'Wat een geweldige verrassing heb je voor me geregeld. En wat een geweldige vrouw heb ik toch. Ik houd echt van je.'

Een luide bonk gevolgd door aanzwellend gekrijs had een einde gemaakt aan hun omhelzing. Hugo had Stijn van de grond geplukt en geknuffeld.

's Avonds, toen Stijn in bed lag, was Hugo erover begonnen. 'Is ons vijfjarig huwelijksfeest en de geweldige vakantie die jij hebt geregeld niet een heel mooi moment om...' Hij aarzelde even. 'Om ons gezin nog wat uit te breiden?'

Susan had geweten dat dit moment een keer zou komen. Ze had het gevreesd en tegelijkertijd deelde ze de wens van een tweede kind. 'Is Stijn niet nog wat klein?' had ze gevraagd. 'Ik bedoel, we werken allebei en dan twee kleintjes... Misschien moeten we nog wat langer wachten.'

Uitstel van executie, dat wist ze zelf ook wel. Alsof langer wachten haar probleem ging oplossen.

'Suus! Kom!'

Ze schrikt op. Hugo staat een paar meter voor haar bij een verhoogde balie waarachter een verveeld kijkende man wacht tot ze hun paspoorten tonen. Snel loopt ze naar hem toe.

'Waar zat jij met je gedachten?' vraagt Hugo als Susan haar paspoort op de balie legt.

'Bij het hotel', liegt ze. 'Ik ben benieuwd of het net zo mooi is als op de foto.'

Hugo luistert niet. Hij pakt zijn portemonnee en haalt er vijftig dollar uit, die hij een paar uur geleden op Schiphol heeft gepind. De Egyptenaar knikt kort en pakt het geld. Hij zet wat stempels, legt hun in het vliegtuig ingevulde douaneformulier op een stapel zonder het een blik waardig te keuren en schuift daarna hun paspoorten terug.

'*Thank you*', zegt Hugo.

'*Next!*' roept de man.

'Zo.' Hugo wist het zweet van zijn voorhoofd. 'We zijn er. Hurghada, *here we come!*'

Susan glimlacht en loopt achter hem aan in de richting van de uitgang.

'Proost.' Hugo heft zijn Stella-biertje en neemt een slok uit het bruine flesje. Hij trekt een gezicht. 'Net water.'

Susan grinnikt en zuigt aan het rietje in haar kleurige cocktail. 'Dit smaakt anders prima. Zo zoet dat mijn vullingen ervan rammelen, precies zoals ik het lekker vind.'

Hugo bestudeert het etiket op het bierflesje. 'Wist je dat dit traditioneel Egyptisch bier is, en dat het al meer dan honderd jaar bestaat. Ik dacht dat er geen alcohol werd geschonken in moslimlanden.'

Susan fronst. 'Dat betekent niet dat er alleen maar moslims in de hotelbar komen. Volgens mij zou de helft van de toeristen wegblijven als hier geen druppel alcohol te krijgen was.' Ze werpt een blik op het tafeltje naast hen, waar vijf luidruchtige Britten een paar liter bier soldaat maken. 'Niet dat dat erg zou zijn.'

Hugo zet zijn biertje neer. Meteen rollen er druppels condens van het flesje op het houten tafeltje. Het biertje dat uit de koelkast komt warmt in hoog tempo op in de klamme avondlucht.

'Wist je dat bier al sinds de oudheid een belangrijke plaats inneemt op het menu van de Egyptenaren?' vraagt Susan, die dat die middag in het vliegtuig in een reisgids heeft gelezen. 'Osiris was de god van de landbouw, maar ook de god van het bier. Hij heeft het bier aan de mensen gegeven. En in de tijd van de farao's speelde bier zelfs een belangrijke rol bij heilige rituelen en in de geneeskunde. Er zijn lijsten teruggevonden waaruit bleek dat bier heel vaak als medicijn werd voorgeschreven. En de geesten van de doden werden geëerd met bier en voedsel. "Op je geest" is dan ook een populaire Egyptische toost.'

Hugo schiet in de lach. 'Hoe weet je dat allemaal?'

'Reisgids.'

Hugo reikt over de tafel en pakt haar hand. Om zijn pols zit een felblauw bandje, Susan heeft zo'n zelfde exemplaar. Het is hun toegangsbewijs tot buffetten, restaurants en de bar, waar ze kunnen bestellen waar ze zin in hebben en niet hoeven te betalen. Hugo kijkt haar lang aan. 'Ik ben blij met je, weet je dat?'

Susan voelt zijn warme vingers om haar hand. Ze glimlacht. 'Ik ben ook blij met jou.'

'Ik zat te denken...' Hugo laat een stilte vallen en Susan kijkt hem verwachtingsvol aan.

'Wat?' vraagt ze als hij niet verder gaat. Als Hugo een zin zo begint, kan er van alles komen.

'Nou ja, Stijn is nu drie en ik dacht... Zou je het niet leuk vinden om nog een kindje te krijgen?'

Susan slikt, ze weet niet wat ze moet zeggen. Ze heeft zelf al zo vaak bedacht dat ze heel graag een broertje of zusje voor Stijn zou willen, maar ze heeft het nooit uitgesproken. Er liggen te veel problemen op de loer. Problemen waar Hugo niets van weet.

'Nou?' Hugo kijkt haar verwachtingsvol aan en Susan weet dat ze met een antwoord moet komen.

'Nu?' vraagt ze uiteindelijk met schorre stem.

Hugo haalt zijn schouders op. 'Waarom niet? Het is onze tweede huwelijksreis, vijf jaar later. Best een mooi moment, toch? En ik zag toevallig de pil in je toilettas. Nog eentje en dan is de strip op. Dat kan geen toeval zijn, hè?'

Dat laatste zegt hij met het scheve lachje dat zo goed bij hem past en dat Susan altijd weer verliefd op hem doet worden. Deze keer mist het zijn uitwerking. De gedachten in haar hoofd buitelen over elkaar heen.

'Ik wil niet ongesteld worden', is het eerste wat in haar opkomt. 'En dat gebeurt wel als ik niet met de volgende strip begin. Ik vind het niet prettig om te zwemmen en te duiken als ik ongesteld ben.'

'Nee, dat begrijp ik', zegt Hugo meteen. 'Maar het kan natuurlijk ook na de vakantie. Het lijkt me gewoon leuk als het leeftijdsverschil niet al te groot wordt.'

'Ja.' Susan knikt en neemt een slok van haar drankje. En dan nog een. Ze heeft behoefte aan het verdovende effect van de alcohol. Wat als een baby de waarheid over Stijn aan het licht brengt.

'Maar het kan natuurlijk ook na de vakantie', zegt Hugo. 'Dat ene weekje maakt natuurlijk niet uit. Stel dat het meteen raak is, dan komt de baby in maart. Best een mooie maand om jarig te zijn. En het is lekker dat je zwangerschapsverlof dan in de lente valt.'

Susan knikt en richt haar blik op haar cocktail. 'Maar eerst geniet ik nog even van dit hier.'

Een uur later ligt Susan op haar rug met open ogen in het donker te staren. Het gordijn beweegt zachtjes in de warme wind. Hugo is bang verkouden te worden met de airco aan en heeft in plaats daarvan het raam opengezet voor wat frisse lucht, maar het is bloedheet in de kamer. Naast haar hoort ze zijn diepe, regelmatige ademhaling. Hugo kan overal en onder alle omstandigheden slapen, een eigenschap waar Susan al heel vaak jaloers op is geweest.

Door het open raam komt een langgerekt gezang naar binnen. Het geluid komt uit de verte. Dichterbij hoort Susan voetstappen en twee mannen die in het Arabisch met elkaar praten. Bewaking. Ze heeft meteen al gezien dat het resort zwaar beveiligd is. Toeristen mag absoluut niets overkomen.

Bij de receptie heeft Susan door een foldertje gebladerd waarin excursies naar de archeologische schatten van Luxor worden aangeprezen. De rit ernaartoe, zo'n vier à vijf uur in een bus, kan tegenwoordig zonder militair konvooi worden afgelegd, iets wat in de folder als groot voordeel werd aangeduid. Susan herinnert zich de aanslagen van 1997, als gevolg waarvan de konvooien werden ingesteld, nog goed. De achteloosheid waarmee ze naar de televisiebeelden keek. Het bloedbad op de parkeerplaats bij de Tempel van Hatsjepsoet, de 62 doden onder wie de terroristen zelf, de verminkingen van de vrouwen en de complete paniek onder toeristen die zo snel mogelijk naar huis wilden – ze aanschouwde het allemaal met een half oog, niet in staat er gevoelens bij te hebben. Bij een foto van het vijfjarige Britse meisje dat er de dood vond, haalde ze nonchalant haar schouders op.

Maar dat was toen. Het was een andere tijd.

Susan draait zich om en duwt het klamme laken van zich af. Ze staat op. De plavuizen op de vloer voelen koel aan. Voorzichtig, om niet tegen hun koffers, de televisiekast of het kleine bureautje te stoten, loopt ze naar de badkamer. Daar is de hitte helemaal niet uit te houden. De lucht is zwaar van de warmte en ruikt naar riool. Er staat een raampje open, maar dat brengt geen verkoeling. De hor die ervoor zit is gescheurd, waardoor er muggen binnenkomen die haar straks waarschijnlijk uit haar slaap zullen houden. Ze pakt de fles mineraalwater die ze vanavond in de hotelbar hebben gekocht en schenkt een glas in. De rand van het glas smaakt naar tandpasta, omdat Hugo het zelfs niet aandurfde zijn mond te spoelen met het bruinige kraanwater. Susan heeft bij de aanblik ervan ook besloten geen druppel van dat water haar lippen te laten passeren. Het laatste waar ze zin in heeft is een flinke voedselvergiftiging op deze hernieuwde huwelijksreis.

Susan ontmoet haar eigen blik in de spiegel. Ondanks de grote hoeveelheden zon van de afgelopen tijd is ze nog niet echt bruin geworden. Haar bleke huid is hooguit wat rood verkleurd. Ze heeft het lelieblanke vel van haar moeder geërfd. Die had er ook nog rood haar bij, maar Susan heeft het blonde haar van haar vader. Al is het bij haar meer een peper-en-zoutkleur, die Susan dankzij een goede kleurversteviger naar honingblond heeft weten op te krikken.

Ze kijkt naar haar eigen gezicht. Sprekend haar vader, zei haar moeder altijd. Zelf ziet Susan gelijkenissen met allebei haar ouders. Haar smalle lippen heeft ze duidelijk van haar moeder, net als haar kleine, enigszins spitse neus. Maar haar helderblauwe ogen zijn dan weer precies die van haar vader. Stijn heeft die blauwe ogen ook. Ze vindt het een mooi idee dat haar vader tot in de derde generatie in de familie vertegenwoordigd blijft.

Ze dwingt zichzelf aan andere dingen te denken, voor ze zichzelf een huilbui bezorgt met haar gedachten. Ook al is hij al meer dan vijftien jaar dood, ze mist haar vader nog elke dag. Hij was veel meer dan zomaar een vader. Hij was haar beste vriend, haar maatje en degene die altijd achter haar stond. Sinds zijn dood heeft ze het gevoel dat ze lichamelijk zwakker is, al zal dat volgens de mensen die er verstand van hebben natuurlijk onzin zijn.

Ze weet waarom hij het heeft gedaan, en waarom hij niets heeft gezegd. Hij wilde haar en haar moeder niet lastig vallen met problemen, ze moesten in zorgeloosheid kunnen leven. Maar wie had kunnen vermoeden dat hij nog voor zijn zestigste verjaardag een hartaanval zou krijgen? Van het ene op het andere moment was hij weg. Susan kan zich het moment dat haar moeder het vertelde nog helder voor de geest halen. Twaalf jaar was ze, en de enige in haar omgeving die ooit dood was gegaan was oma van haar moeders kant die ze toch al niet bijzonder aardig vond. Dood... Ze wist nauwelijks wat het inhield. En toen ineens was haar vader er niet meer.

Susan haalt diep adem en rommelt in haar toilettas. Ze haalt een tubetje Nestosyl tevoorschijn. Ze smeert wat op een muggenbult op haar enkel. Daarna draait ze de dop weer op de tube en neemt nog een slokje water. Nu niet aan papa denken, spreekt ze zichzelf streng toe. En ook niet aan wat hij achterliet. Vakantie is genieten en dat is precies wat ze moet doen. Misschien valt het allemaal mee en krijgen ze een tweede kind en zal Hugo er nooit achterkomen. Die kans is natuurlijk het grootst, maakt ze zichzelf wijs. Ze kan aan Stijn immers ook niet zien hoe het zit. Hij lijkt het meest op haarzelf.

Ze mist Stijn, maar de gedachte weer eens ongestoord uren achter elkaar op een strandbed te kunnen liggen met niets anders dan een goed boek is aantrekkelijk. En Stijn is bij Bert en Katrien in goede handen. Ze hebben zich verheugd op het weekje oppassen. Toen ze maandagochtend hun intrek namen in het huis zag Susan minstens drie cadeautjes die Stijn de komende dagen zal krijgen. Zelf vond hij het allemaal wel prima. Hij heeft geen besef van tijd. Hugo vertelde hem dat papa en mama over een week terug zouden zijn, en Stijn haalde zijn schouders op. Een week, een dag, een uur, voor hem is het allemaal hetzelfde.

Uit haar toilettas haalt ze een flesje Deet tevoorschijn, dat ze nog snel voor vertrek bij de Etos heeft gekocht. Ze smeert haar armen en benen ermee in en ondanks de smerige lucht van het spul brengt ze het ook aan op haar gezicht. Het laatste waar ze zin in heeft is haar roodverkleurde huid nog eens extra ontsieren met jeukende bulten, zoals die op haar enkel.

Susan doet het licht in de badkamer uit. Ze sluit het raam van de kamer en zet de airco op de laagste stand. Het apparaat komt brommend tot leven. Hugo mompelt iets in zijn slaap, maar wordt niet wakker.

Susan stapt weer in bed en wacht tot de koelte uit de airco de hitte verjaagt.

3

HUGO SPREIDT DE STAPEL BROCHURES UIT OVER DE TAfel. Hij kijkt er tevreden naar. 'Dit zijn alle folders die ze hadden. Volgens de receptionist heb ik nu alle mogelijke excursies in de omgeving wel te pakken. Zullen we eerst even iets te eten halen?'

Ze lopen naar het uitgebreide ontbijtbuffet en kiezen allebei voor een geroosterd broodje met wat roerei en bacon. Susan moet bijna kokhalzen als ze de grote bakken met aardappels, witte bonen in tomatensaus, vette wafels en dikke pannenkoeken ziet. Dat mensen dat 's ochtends weg kunnen krijgen. Ze ziet een groep Russen het buffet plunderen en er met al die dingen vandoor gaan die Susan misselijk maken. Ze kijkt naar haar eigen broodje, waar ze nu eigenlijk al geen zin meer in heeft. Snel pakt ze nog een banaan mee, waarschijnlijk het enige wat ze weg krijgt.

'Coffee?' Een jonge ober duikt naast de tafel op. In elke hand houdt hij een zilverkleurige kan. *'Or tea?'*

Susan bestelt thee, Hugo koffie. De zwarte substantie die in het kopje terechtkomt ruikt naar van alles, maar niet naar koffie. Hugo duwt de kop meteen van zich af.

Susan neemt een hap van haar banaan en pakt een foldertje van de stapel. Ze kijkt naar de foto's van eeuwenoude, zandkleurige bouwwerken. 'Wil je naar Luxor?'

Hugo haalt zijn schouders op. Hij bladert door een brochure met op de voorkant een foto van een turkooizen zee en een witte zeilboot. 'Ik weet het niet. Het is vijf uur rijden en bovendien is het er veertig graden.'

'Het lijkt mij wel de moeite waard.' De tempels en graven van farao's fascineren Susan. Ze herinnert zich de geschiedenisleraar die ze op de middelbare school had. Hij kon over de Egyptische oudheid vertellen alsof die gisteren nog springlevend was geweest. Het was de enige les geweest waarop Susan zich altijd had verheugd en al op jonge leeftijd had ze al met zichzelf afgesproken dat ze op een dag de graven van de farao's in het echt zou gaan bekijken. Een afspraak die ze natuurlijk ook weer was vergeten, maar met de brochure in haar hand herinnert ze zich weer het gevoel dat de verhalen over farao's en sfynxen bij haar opriepen. Een gevoel van opwinding over lang vergane beschavingen en de bewondering voor de kunstwerken die mensen duizenden jaren geleden al maakten en de goden voor wie ze dat deden. Ze kijkt naar Hugo met een glanzende blik in haar ogen. 'De bakermat van de beschaving ligt daar.'

Hugo trekt een gezicht. 'Als je het mij vraagt is het vooral een commercieel uitgebuite toeristentrekpleister.'

Susan trekt haar wenkbrauwen op zodat er een rimpel in haar voorhoofd ontstaat. 'Hoezo, toeristische trekpleister? Die graven en tempels zijn echt, hoor. Ze zijn een paar duizend jaar oud. Die zijn er niet neergezet omdat het zo leuk is voor toeristen.'

'Nee, maar het is er vast hartstikke druk. Ik betwijfel of je echt zo veel te zien krijgt van al die historische schatten. Ik kan wel iets leukers bedenken. En bovendien weet ik niet of ik het ervoor over heb om zo lang in een bloedhete bus te zitten.'

'Er zit vast wel airco in', zegt Susan een beetje nukkig. Ze kan het slecht hebben dat Hugo de graven van de farao's afdoet alsof het een of ander slecht pretpark is.

Hugo kijkt op. 'Wat heb je nou ineens?'

'Niks', antwoordt ze chagrijnig.

'Ja, en ik ben Sinterklaas. Suus, wat is er? Je hebt ineens een gezicht als een donderwolk. Is het vanwege Luxor? Als je daar naartoe wilt, dan gaan we. We zitten hier acht dagen, we hebben tijd zat.' Hugo legt zijn hand op de hare. 'Of we gaan helemaal niet op excursie en brengen al die tijd in onze hotelkamer door. Ik denk dat we ons best zouden vermaken.' De twinkeling in zijn ogen zegt genoeg.

Geërgerd trekt Susan haar hand weg. 'Ik wil naar Luxor. Heb jij interesse in een woestijnsafari naar een Bedoeïendendorp?' Demonstratief houdt ze een andere folder op.

Hugo schudt zijn hoofd. 'Nee, maar ik wil wel duiken. Zullen we dan én die trip naar Luxor én een duikexcursie boeken?'

Susan begint weer wat te ontdooien. 'Prima. Laten we Luxor aan het eind van de vakantie boeken. Dan hebben we eerst tijd om te duiken en te relaxen.' Ze pakt een folder met prachtige onderwaterfoto's. 'Deze duikschool ziet er wel goed uit, vind je niet? Denk je dat je ook mag duiken als je geen PADI hebt?'

Hugo pakt het foldertje van haar aan. 'We kunnen het altijd even gaan vragen. En anders zijn er genoeg duikscholen hier in de omgeving.'

Susan knikt. 'Bij de receptie weten ze vast wel een paar goede hier in de buurt.' Ze schuift de folders bij elkaar en maakt er een stapel van. Daarna werpt ze een blik op het buffet. 'Ik heb genoeg gegeten. Jij?'

'Ja. Volgens mij zag ik in de lobby een standje waar je excursies kunt boeken. Zullen we informeren wat de mogelijkheden zijn voor Luxor?'

Susan schuift haar onaangeroerde broodje met ei van zich af en staat op. 'Goed idee.'

Terwijl ze probeert haar ergernis van zich af te zetten volgt ze Hugo naar de lobby.

Een halfuurtje later hebben ze voor later die week de dagvullende excursie naar Luxor geboekt. Susan wilde eigenlijk niet de dag voor vertrek gaan, maar het was de enige mogelijkheid en ze wil de farao's niet laten schieten. Gelukkig is Hugo niet meer op zijn aanvankelijke weigering teruggekomen. Hij wilde ook meteen een duikexcursie boeken, maar Susan is er niet gerust op dat zij zonder PADI mee mag en daarom wil ze eerst bij de duikschool langs gaan om te informeren.

Morgen. Vandaag wil ze even helemaal niets moeten.

'Zin om even naar het centrum te gaan?' informeert Hugo als ze weglopen bij het excursie-standje. 'Ik ben wel benieuwd waar we nou eigenlijk terecht zijn gekomen.'

'Oké.' Nu is het nog enigszins uit te houden buiten, over een paar uur bereikt de dag z'n warmste punt en zal het zelfs in de schaduw zo heet zijn dat je een ei kunt bakken op het asfalt. Voor zover er sprake is van asfalt, want als ze naar buiten lopen ziet Susan waarom ze gisteravond in het transferbusje zo hard heen en weer werd geschud. De straat voor het hotel bestaat uit hard zand en losliggende stenen.

'*Where to*?' informeert de portier van het hotel.

'*Citycenter*', antwoordt Hugo. '*By taxi*.'

'Wel onderhandelen over de prijs, hè?' fluistert Susan als de portier knikt en aanstalten maakt een wit minibusje aan te houden, waarvan er vele toeterend voorbij rijden. Binnen twee seconden rijden er drie minivans voor. Al rijdend schuiven de zijdeuren open en proberen jongetjes van nog geen twaalf jaar hen over te halen naar binnen te komen. Susan wijst naar de minst beschadigde en Hugo knikt.

Het kind trekt hen naar binnen. Susan kijkt naar zijn groezelige hand op haar witte zomerblouse en onderdrukt de neiging hem af te schudden. Ze zet een stap opzij en laat Hugo eerst naar binnen gaan, waardoor het kind wordt gedwongen haar los te laten. Ze glimlacht wat ongemakkelijk en probeert door haar mond te ademen om de penetrante zweetlucht die in het voertuig hangt niet te ruiken.

'*Citycenter*', herhaalt Hugo als de chauffeur hem drukgebarend aanspreekt in Engels dat door het zware Arabische accent niet te verstaan is.

'Onderhandelen', zegt Susan.

Hugo buigt zich naar de chauffeur terwijl het kind de deur dichtgooit en de taxi zich met een schok in beweging zet. Overal klinkt getoeter en Susan ziet aan twee kanten busjes rakelings langs gaan. Het zweet breekt haar uit. Dat het in de auto minstens vijfendertig graden is helpt ook niet echt.

'*How much?*' vraagt Hugo. '*Five?*'

De chauffeur wuift hem weg. '*Is okay*', roept hij.

'We hadden dit moeten doen voor we instapten', zegt Susan met een zucht. Ze denkt verlangend aan het zwembad in het hotel. Misschien hadden ze er beter voor kunnen kiezen om daar te blijven.

Maar Hugo lijkt zich wel te vermaken. Hij leunt achterover tegen de sleetse leuning van zijn stoel en kijkt Susan opgetogen aan. 'Daar zitten we dan', zegt hij.

Susan knikt en kijkt uit het raam. Inmiddels rijden ze op asfalt, wat de rit een beetje comfortabeler maakt. Onderweg stopt de chauffeur vier keer om andere mensen binnen te laten, die zich in het busje blijven proppen tot Susan bijna een aanval van claustrofobie krijgt. Maar zo snel als ze gekomen zijn stappen ze ook weer uit en tegen de tijd dat de chauffeur opgefokt roept dat ze in het centrum zijn, zitten ze weer alleen in het busje.

'*Fifteen pound.*' Het jonge hulpje trekt aan Hugo's blouse als hij wil uitstappen. Susan glipt langs hen heen en ademt opgelucht de buitenlucht in, ook al is die zwaar van de warmte.

'*Fifteen*?' Hugo wijst met zijn vinger naar zijn hoofd. '*No, five.*'

Het kind rukt aan zijn broekspijp. '*Fifteen.*'

De chauffeur hangt inmiddels uit zijn raam. '*Yes! Fifteen*!'

'*Five. No more.*' Hugo haalt een handje muntstukken uit zijn broekzak en pakt er eentje van vijf pond uit. Die geeft hij aan het kind.

Het joch weigert en de munt valt op straat. '*Fifteen!*'

Hugo schudt zijn hoofd. '*Five is already too much. Take it or leave it.*'

Hij pakt Susan bij haar arm en loopt weg.

Gegeneerd kijkt Susan achterom. De jongen heeft het muntstuk opgeraapt en komt nu achter hen aan. Zijn vader – althans, ze denkt dat het zijn vader is – geeft gas en komt naast hen rijden terwijl hij verwensingen schreeuwt uit zijn raam. Blijkbaar is dit een alledaags straatbeeld, want geen van de voorbijgangers kijkt bevreemd.

'We gaan winkelen', zegt Hugo resoluut en hij trekt Susan mee een souvenirshop in waar de nep-Louis Vuittons haar om de oren vliegen. Ook al prikt de rook van waterpijp in haar neus, het is honderd keer beter dan de woedende chauffeur en de grijpende handjes van zijn zoon.

'*Welcome!*' Er komen meteen drie verkopers op hen afgesneld. '*You want bag? I make good price for you.*'

Susan werpt een nogal wanhopige blik in Hugo's richting. 'Strand?'

Hij knikt en ze verlaten de winkel net zo snel als ze gekomen zijn. Gelukkig is de minibus verdwenen.

'We kunnen wel gaan lopen', zegt Susan. Voor geen goud stapt ze nog in zo'n taxi. 'Het was maar een paar minuten rijden, dus zo ver is het niet.'

Hugo knikt en ze zetten koers in de richting waaruit ze net zijn gekomen.

Onderweg kijkt Susan om zich heen. Het valt haar op dat er veel Egyptische mannen op straat zijn en maar weinig vrouwen. Op het oog lijkt Hurghada misschien een redelijk moderne stad, maar als je iets beter kijkt zie je dat mensen hier nog leven volgens eeuwenoude geloofsregels.

En die regels staan vrouwen maar weinig toe. Ze realiseert zich dat ze in het hotel ook geen vrouwelijke medewerkers heeft gezien. Zelfs degenen die vanochtend in de weer waren met het schoonmaken van de kamers, waren mannen. De obers in het restaurant, de receptionisten, de strandwachten, de mensen die de strandbedjes neerzetten – allemaal mannen. De enige vrouwen die ze heeft gezien waren Europese meisjes in het animatieteam, die hier een paar maanden in de zon doorbrengen en daarna terugkeren naar hun eigen land waar ze kunnen studeren.

'Taxi?' Er duiken weer van die busjes op.

'No, no', weert Hugo hen af. *'No taxi. We walk.'*

'Take taxi! Very cheap.'

'We walk', herhaalt Susan. Ze is nu al klaar met het opdringerige volk. Ze pakt Hugo's hand vast en zet de pas erin. De busjes haken af, gelukkig.

'Daar zijn we vanaf', zegt Susan opgelucht. 'Ze laten je niet zomaar gaan, zeg.'

Hugo haalt zijn schouders op. 'Ik geloof dat je in dit land blij mag zijn als je 300 euro per maand verdient, waarvan je een heel gezin moet onderhouden. Je kunt het die mensen niet kwalijk nemen dat ze graag willen bijverdienen. Het is niet zo dat je als man je vrouw uit werken kunt sturen.'

Susan luistert al niet echt meer. Ze ziet een terrasje aan de overkant van de straat dat er gezellig uitziet. 'Heb je zin om wat te gaan drinken? We kunnen immers nog genoeg tijd in het hotel doorbrengen.'

Hugo knikt en even later hebben ze zich geïnstalleerd op het terras, met allebei een flesje cola voor zich op tafel. Susan kijkt om zich heen. Het terras is gevuld met alleen maar toeristen en ze vangt flarden Duits, Engels en Nederlands op. 'Net het Leidseplein', lacht ze.

Hugo grinnikt. 'Weet je nog dat we daar iets gingen drinken toen we twee weken voor de bruiloft eindelijk een trouwjurk voor je hadden gevonden? Het was die dag snikheet.'

Susan herinnert het zich als de dag van gisteren. Tegen de traditie in had ze samen met Hugo haar trouwjurk uitgezocht, omdat de uitgelezen persoon om dat mee te doen – haar moeder – er toch niet meer was. Ze had gekozen voor een simpele strapless jurk, die aan de bovenkant was afgezet met roosjes en die Hugo's mond open had doen vallen van bewondering.

'Niet te geloven dat dat alweer vijf jaar geleden is', mijmert Hugo. 'En ook dat het acht jaar terug is dat we elkaar leerden kennen. Ik kan me ieder detail van die avond nog precies voor de geest halen.'

Susan knikt, ze heeft hetzelfde. Samen met twee collega's was ze naar Anno gegaan, een bar in het centrum van Almere. Een van hen was een kennis van de vriend met wie Hugo er die avond was en zo waren ze aan de praat geraakt. 'Weet je dat ik die avond eigenlijk helemaal geen zin had? Het liefst was ik na het werk meteen naar huis gegaan, maar mijn collega's bleven aandringen en dus dacht ik: oké, één drankje.'

Hugo strijkt even over haar hand, die op tafel ligt. 'Gelukkig maar, anders hadden we hier nu niet gezeten. En hadden we Stijn ook niet gehad.'

Susan knikt. 'Raar hoe één ontmoeting bepalend kan zijn voor je leven. Eigenlijk kan één keuze genoeg zijn om je leven een heel andere wending te laten nemen.'

'Als jij die avond niet mee was gegaan', knikt Hugo. 'Of als jij niet naar Almere was verhuisd. Dat was toch ook niet de meest logische keuze voor iemand die in Amsterdam is opgegroeid.'

Susan slikt en neemt ongemakkelijk een slok van haar cola. 'Ja, precies', zegt ze snel. 'Of als jij op de avances van mijn collega was ingegaan, die jou overduidelijk wel zag zitten.'

Gelukkig laat Hugo zich afleiden. 'Maak je maar geen zorgen', grinnikt hij. 'Toen ze haar aanzienlijke achterwerk zo'n beetje op mijn schoot plantte, ben ik afgehaakt. En trouwens, ik kon mijn blik toch al niet meer van jou afhouden vanaf het moment dat je binnenkwam. Ik wist meteen dat ik op een dag met jou zou trouwen.' Hij trekt er een sentimenteel gezicht en Susan schiet in de lach.

'Natuurlijk! Duurde het daarom bijna drie jaar voor je een aanzoek deed?'

'Ik wilde er goed over nadenken', werpt Hugo tegen. 'Het moest het aanzoek van de eeuw worden.'

Nu moet Susan nog harder lachen. 'Aha. Het aanzoek van de eeuw was een simpel 'zullen we dan maar trouwen', 's avonds in bed, omdat een samenlevingscontract duurder was en we nou eenmaal een huis wilden kopen?' Op dat moment had ze het jammer gevonden dat Hugo niet wat meer moeite had gedaan, al was hij wel zo goed voorbereid dat hij uit de la van zijn nachtkastje een ring had getoverd. Maar achteraf had Susan erom moeten lachen. Hugo's onbeholpen gezicht toen hij de ring aan haar vinger schoof, de champagne die hij uit koelkast was gaan halen en die natuurlijk was omgevallen en hun dekbed had verpest. Het was precies goed geweest.

Net als de trouwdag zelf. Ze hadden niet veel mensen uitgenodigd. Alleen wat familie, vrienden en een paar collega's. Totaal nog geen vijftig man met wie ze de hele dag hadden gelachen, gekletst, gegeten en gedronken. Het was perfect geweest, en Susan kon nog steeds genieten als ze aan hun trouwdag dacht.

'Waar zit je met je gedachten?' vraagt Hugo.

Susan realiseert zich dat ze een glimlach op haar gezicht heeft. Onbewust draait ze haar trouwring rond. 'Bij de trouwdag. En de huwelijksreis natuurlijk.'

'O ja, de huwelijksreis.' Nu krijgt Hugo een dromerige blik in zijn ogen. Ze hadden Italië als bestemming gekozen, deels omdat Hugo goede herinneringen bewaarde aan de vakanties met zijn ouders die vroeger vrijwel altijd naar Italië gingen en hij Susan graag het land wilde laten zien. En deels omdat de bruiloft een behoorlijk gat in hun spaargeld had geslagen en dat belette hen om naar een of ander tropisch eiland te gaan.

En Italië bleek een fantastische bestemming. Urenlang slenterden ze door Florence of reden ze rond in het prachtige landschap van Toscane. 's Avonds genoten ze van lekker eten en iets te veel wijn en mijmerden ze over de toekomst die helemaal open lag. Dat ze graag kinderen wilden was al snel duidelijk, ook al duurde het nog twee jaar voor Stijn er was.

'Onze eerste vakantie zonder kind', zegt Hugo, alsof hij haar gedachten raadt. 'Het is wel even wennen, vind je niet?'

Susan knikt. 'Ik realiseer me nu pas weer hoeveel vrijheid we hadden toen Stijn er nog niet was. Even rustig op een terrasje zitten zou er niet bij zijn als hij hier was. Dan zou hij zich na twee minuten al vervelen.'

Hugo lacht. Soms proberen ze het wel, dan gaan ze wat drinken in Almere-Stad of in de haven aan het Gooimeer. Maar meestal wil Stijn binnen een minuut uit de buggy en als hij eenmaal rondloopt moeten Hugo en Susan om de haverklap opspringen omdat hij te ver weg gaat, of koers zet richting de weg of de obers in de weg loopt.

'Ik mis hem wel, maar even rustig kunnen zitten is ook weleens lekker', zegt Susan. Ze neemt de laatste slok van haar cola en kijkt om zich heen. Op straat is het een drukte van belang. Toeristen worden, net als zijzelf eerder, belaagd door taxibusjes en verkopers. Er wordt getoeterd en geschreeuwd en een paar mannen staan zich op te winden over het feit dat ze door een grote groep Britse toeristen compleet worden genegeerd. Susan kijkt naar de lucht, die strakblauw is. De zon begint steeds harder te branden, maar het is voor de Egyptische verkopers geen reden om het rustiger aan te doen. Ze wijzen en schreeuwen en makten driftige gebaren met gebalde vuisten. De Britten lopen onverstoorbaar verder.

'Het zijn wel druktemakers', zegt Hugo, die haar blik volgt. 'Ik heb nog niet één relaxte Egyptenaar gezien.'

Als om het te bewijzen verschijnt de ober aan hun tafel die de rekening neergooit en ongeduldig staat te wachten. Hugo trekt zijn portemonnee en haalt er wat kleingeld uit dat hij begint af te tellen. De ober houdt zijn hand op en maakt met zijn vingers duidelijk dat Hugo moet opschieten. Susan kijkt om zich heen, het is druk op het terras en de man loopt in zijn eentje.

Als Hugo heeft betaald en ze allebei de laatste slok van hun cola hebben genomen staan ze op. Ze laten de toeterende taxi's voor wat die zijn en lopen terug naar het hotel.

Sneller dan Susan verwacht staan ze alweer voor de ingang.

'Hopelijk kunnen we nog een strandbedje krijgen', zegt Hugo als ze naar binnen lopen. 'Laten we eerst maar even onze zwemkleding gaan aantrekken.'

Ze zetten koers naar de kamer. Die is schoongemaakt en op het bed prijkt een van handdoeken gevouwen zwaan, te midden van een zee van rozenblaadjes.

'Ik ga er een foto van maken!' roept Hugo. Hij rommelt in zijn rugtas en haalt de digitale compactcamera tevoorschijn die Susan hem vorig jaar voor zijn verjaardag heeft gegeven. 'Ga er eens naast zitten.'

Susan poseert naast de badstof zwaan en Hugo maakt tien foto's, een kwaal die de digitale fotografie met zich meebrengt. Susan heeft hem al zo vaak gevraagd het aantal foto's tot twee of drie te beperken, omdat zij degene is die het memorykaartje altijd leeghaalt en de foto's moet uitzoeken. De laatste paar maanden heeft ze alles op haar computer gezet en er niet meer naar gekeken. Voorheen drukte ze veel af en maakte ze hele fotoboeken, maar ze heeft de puf niet meer om zich door de honderden digitale kiekjes heen te werken.

Met moeite veroveren ze op het strand twee zonnebedjes. Eén ervan is kapot, de rugleuning kan alleen nog maar plat liggen. Hugo biedt aan dat bedje te nemen. Ze slepen de zware stoelen door het mulle zand naar een plek die hopelijk over een uur of twee in de schaduw zal liggen.

Zwetend laat Susan zich op haar bedje vallen. 'Mijn hemel, wat een hitte. Mag ik de zonnebrand?'

'Wil je niet eerst even zwemmen? Anders spoel je alles er weer af.'

Het frisse water ziet er aanlokkelijk uit en Susan volgt Hugo. Ze kan haar vel bijna horen sissen als het verkoelende water eroverheen spoelt.

De bodem is mooi zacht en Susan loopt verder het water in. Hugo heeft zich al voorover in de kleine golven gegooid en wenkt haar dat ze verder de zee in moet komen. Ze zwaait terug en doet het rustig aan.

Stijn zou het hier geweldig vinden. Hij is al net zo dol op water als Hugo en samen zouden ze zich uren kunnen vermaken in zee. Het is lekker dat ze kunnen doen wat ze willen nu hij bij Katrien en Bert is, maar ergens knaagt haar schuldgevoel. Als ze hem hadden meegenomen hadden ze misschien minder bewegingsvrijheid gehad, maar dan hadden ze hem wel een geweldige tijd bezorgd. Ze heeft in de lobby een poster gezien van The Aquarium Hurghada, waar Stijn zich vast zou hebben vermaakt. Toen ze een paar maanden geleden een dagje naar het Dolfinarium waren geweest, raakte hij daar dagenlang niet over uitgepraat.

'Kom je nog?' roept Hugo uit de verte. Hij laat zich achterwaarts in het water plonzen. 'Hier verderop is koraal.'

Susan schuifelt stapje voor stapje verder het water in. Als er koraal in de buurt is, moet ze goed uitkijken waar ze haar voeten neerzet. Gelukkig is het water zo helder dat ze haar voeten kan zien, zelfs als ze er tot haar middel instaat.

'Misschien kunnen we ergens een snorkelset vandaan halen', zegt Hugo als ze hem eindelijk heeft bereikt. 'Als je tien meter verder zwemt, zie je een groot stuk koraal. Het wemelt hier al van de vissen.'

Susan ziet inderdaad kleine visjes rond haar handen en buik zwemmen. 'Ik ben blij dat we deze week gaan duiken. Het schijnt echt spectaculair te zijn, zeker als je wat verder uit de kust gaat.'

Hugo probeert zonder duikbril wat te zien onder water, maar het zout bijt in zijn ogen, die binnen de kortste keren vuurrood zijn. 'Nee, dit werkt niet. Je hebt gelijk, morgen gaan we duiken en dan halen we de schade dubbel en dwars in.'

Susan denkt aan het duiken als ze tien minuten later op haar strandbedje ligt en uitkijkt over de Rode Zee. Misschien is het uiteindelijk toch maar beter dat Stijn niet mee is. Met een kind erbij zou er van duiken weinig terechtkomen.

Alsof hij haar gedachten kan raden zegt Hugo: 'Zal ik mijn moeder even bellen? Ik ben benieuwd hoe het met Stijn gaat.'

Susan knikt. 'Graag. Hopelijk is hij er al aan gewend dat wij weg zijn.'

Hugo rommelt in zijn rugzak en haalt zijn BlackBerry tevoorschijn. Hij zoekt het mobiele nummer van zijn moeder op en belt haar.

'Voicemail', meldt hij even later. 'Op de dag dat mijn moeder haar mobiel gaat opnemen weet ik zeker dat de technische revolutie is volbracht. Ik vrees alleen dat die dag nooit komt. Waarom heeft ze eigenlijk een mobiele telefoon als ze nooit opneemt?'

'Voor noodgevallen', zegt Susan, op precies dezelfde toon als waarop Katrien dat altijd uitspreekt. 'Niet dat ze in geval van nood ineens weet hoe die telefoon werkt, maar goed.'

Hugo belt hun eigen vaste nummer. Daar wordt blijkbaar wel opgenomen. 'Hai ma, met Hugo', zegt hij opgewekt. 'Hoe is het?'

Hij luistert even en zegt dan: 'Ja, goed. Het is hier heerlijk. We liggen nu lekker aan het strand. Maar we missen Stijn wel, hoor.'

Hij praat nog even met zijn moeder en hangt dan nogal abrupt op. Susan draait haar hoofd en kijkt hem aan. 'Wat gebeurde er?'

'Stijn was met Bert aan het voetballen en viel met zijn knieën op de tegels. Ik kon haar niet eens meer verstaan zo hard begon hij te brullen.'

Susan glimlacht. Hun zoontje heeft nog niet echt veel balgevoel, ondanks het feit dat Bert urenlang de bal met hem overspeelt. Van de tien ballen mist Stijn er acht.

'Had hij goed geslapen?' informeert ze.

Hugo humt wat en knijpt zijn ogen dicht. Na een paar seconden doet hij ze weer open. 'Hoe zou hij het vinden om een broertje of zusje te krijgen?'

Susan geeft geen antwoord.

'Nou?' Hugo draait zich op zijn zij en met één hand als steun onder zijn hoofd kijkt hij haar aan. 'Hij zal in het begin wel flink moeten wennen.'

'Dat denk ik ook', zegt Susan een beetje onwillig.

'Wat is er?' Hugo kijkt haar onderzoekend aan.

Susan heeft geen zin om te praten, maar ze weet dat ze Hugo eerst het gevoel moet geven dat alles in orde is, anders blijft hij erover doorgaan. Alles ís ook in orde, spreekt ze zichzelf in gedachten streng toe. Ze moet ophouden allerlei onwaarschijnlijke scenario's te bedenken. Natuurlijk kunnen ze gewoon een tweede kind krijgen, en natuurlijk zal Hugo bij de geboorte het verschil met Stijn niet zien. Als dat verschil er al is. Ze weet het niet eens zeker.

Ze haalt diep adem. 'Niks, schat. Er is niks.'

'Twijfel je?' vraagt hij, haar opmerking negerend. 'Over een tweede, bedoel ik.'

Ze geeft snel antwoord. 'Nee, natuurlijk twijfel ik niet.'

'Mooi', zegt Hugo tevreden. 'Ik kijk er al helemaal naar uit weer zo'n kleintje in huis te hebben. Het is een hoop werk, zo'n baby, maar ik kon er bij Stijn ontzettend van genieten.'

'Ja.' Susan pakt een tijdschrift en doet alsof ze leest. Hugo blijft nog even voor zich uitkijken en pakt dan zijn boek. Geen letter van het tijdschrift dringt tot Susan door.

Toen ze Hugo leerde kennen was het juist zijn degelijkheid die haar aantrok. Zijn rustige uitstraling, zijn vlekkeloze staat van dienst, zijn doorsnee toekomstbeeld – hij was precies wat ze nodig had. Dat ze een kind zouden krijgen, lag precies in de lijn der verwachting. Het was ook precies wat zij wilde. En dat Hugo op een gegeven moment over een tweede zou beginnen, had ze ook wel verwacht. Alleen de blonde labrador ontbreekt er nog aan. Het perfecte gezinnetje.

Dat was toch wat ze wilde?

Ze sluit haar ogen achter haar bril. Naast haar is Hugo in slaap gevallen. Zijn mond staat een beetje open.

***

Met de liefde bedrijven had het niets te maken. Kale seks, meer was het niet. Het inlossen van een oude schuld, waarvan ze niet wist dat ze die had. Met wijdopengesperde ogen staarde zij naar het plafond, terwijl hij eerst zijn spijkerbroek uittrok en daarna haar panty kapot trok. Die onbesuisde actie kwam niet voort uit lust. Hij schiep er een heimelijk genoegen in kapot te maken wat zij had. Dat was altijd al zo geweest. Beelden van het hondje drongen zich onherroepelijk aan haar op. Tien weken oud, bruut vermoord. Ze was ontroostbaar geweest.

Ze moest haar ogen openhouden, ook al wilde ze hem niet zien. Als ze ze zou sluiten, zouden de beelden blijven komen. Dat ze bij hem was en dit moest ondergaan, was al erg genoeg. Ze moest in het hier en nu blijven, meer gunde ze hem niet.

Waarom was ze dan ook naar Amsterdam gegaan? Het was een opwelling geweest, ze had de stad in al die jaren drie keer bezocht en elke keer had ze zich afgevraagd wat ze er in godsnaam deed. En toch had ze vanochtend ineens zin gekregen om hierheen te gaan. Wetend dat ze zich, hoe groot de stad ook was, in het hol van de leeuw begaf. De leeuw bleek nog veel bloeddorstiger dan ze ooit had vermoed.

Ze voelde hoe hij met een geroutineerde beweging haar korte zwarte jurkje omhoog schoof. Hij dwong haar rechtop te gaan zitten. Ze deed wat hij wilde. Met één hand trok hij de jurk over haar hoofd. Ze wierp een blik naar links. Daar lag haar kapotte panty, bovenop haar zwarte laarzen met hoge hak waarvan ze nu al wist dat ze ze nooit meer zou dragen. Ze zouden voor altijd de geur van overspel hebben.

***

4

ALS ZE DE STEEG INLOPEN WAAR DE DUIKSCHOOL IS GEvestigd ruikt het alsof het riool zojuist is ontploft. Susan slaat in een reflex haar hand voor haar mond en probeert de geur te maskeren door de crème die ze net op haar droge huid heeft gesmeerd, maar de crème vervaagt tot iets op de achtergrond dat ze zelfs misschien alleen in gedachten ruikt.

'Hier is het beter!' roept Hugo. Hij is naar de andere kant van de steeg gebeend, waar Susan een streep blauw water ontwaart. 'Je moet even rennen.'

En dit was de beste duikschool van Hurghada? Susan begint te vermoeden dat ze terecht zijn gekomen bij de broer, neef of vriend van de conciërge aan wie ze advies hebben gevraagd.

Dichter bij zee is het inderdaad beter uit te houden. De

rioollucht is wat afgezwakt en als Susan de zeelucht opsnuift voelt ze zich meteen beter. 'Zullen we naar binnen gaan?'

De duikschool is gevestigd in een wat vervallen pand met Arabische tekens op de gevel. Binnen is het schemerig donker. Vanachter een gordijn – meer een vloerkleed dat als zodanig dienstdoet – komt een man met een grote baard tevoorschijn.

'*Hello*?' zegt hij met een zwaar accent.

'*Can we dive here*?' vraagt Hugo. Hij heeft zichzelf al net zo'n accent aangemeten, hoort Susan. Het helpt niet, de man kijkt hem aan alsof hij om een reisje naar de maan heeft gevraagd.

'*Dive*', herhaalt Hugo. '*You know. Coral. Fish.*'

'*O, dive. Yes. Sure.*' Nu wordt de Egyptenaar wat toeschietelijker. Hij verdwijnt achter het gordijn en komt even later terug met een boek en een geldkistje. Hij slaat het boek open en wijst met zijn pen naar een lege regel. '*Name.*'

Susan kijkt om zich heen. Haar oog valt op een foto waar een blauwe boot op staat, die haar bekend voorkomt. Ze loopt naar buiten en ziet die boot aangemeerd liggen bij de steiger voor de duikschool.

De foto moet lang geleden zijn gemaakt.

Het bootje dat nogal zielig op de golven dobbert heeft de laatste paar jaar geen druppel verf van dichtbij gezien. Susan loopt ernaartoe en ziet duikflessen staan. Eén ervan vertoont roestplekken.

'Laten we hier weggaan', zegt Hugo, die achter haar staat. 'Ik ga niet duiken bij deze club, hoor.'

'Ach, dit is Egypte', antwoordt Susan. 'Hier gelden wat andere standaarden dan in Nederland.'

Hugo kijkt haar aan alsof ze gek is geworden. 'Andere standaarden? Ik noem dit gewoon vooroorlogs materiaal. Als je hiermee gaat duiken, teken je je eigen doodvonnis.'

'Ach, stel je niet zo aan. Nemen ze ook mensen zonder PADI mee op een duik?'

Hugo knikt. 'Dat wel. Maar ik ga echt niet met zo'n verroeste duikfles op mijn rug het water in. Kom mee, we gaan op zoek naar een andere duikschool. Eentje die wel beschikt over goed materiaal. En een begeleider die goed Engels spreekt.'

Susan rolt met haar ogen, maar volgt Hugo toch.

'Sorry', zegt hij tegen de duikschoolhouder, die met gefronste wenkbrauwen toekijkt. *'We cancel.'*

De man begint te protesteren en tikt nijdig met zijn pen op het boek. Hij spreekt hen aan in het Arabisch. Susan loopt snel naar buiten, achter Hugo aan. Met ingehouden adem haast ze zich terug naar de hoofdstraat van Hurghada.

Hugo kijkt om zich heen. Hij wijst naar het Sindbad Club Beach Resort, dat zich vijftig meter verderop bevindt. 'Laten we daar informeren naar een goede duikschool. Misschien krijgen we een beter advies.'

De conciërge van het hotel trekt een afkeurend gezicht als ze zeggen bij welke duikschool ze net zijn geweest en legt in keurig Engels uit dat het bedrijf de twijfelachtige eer ten deel valt recordhouder te zijn op het gebied van duikongelukken. Nu voelt Susan zich toch wel opgelucht dat ze weg zijn gegaan. Gelukkig blijkt de omgeving nog veel meer duikscholen te tellen en even later staan ze weer buiten met een aantal adviezen op zak.

'Over dat Passion for Diving was hij erg enthousiast', zegt Hugo, die het foldertje dat bovenop zijn stapeltje ligt bekijkt. 'Ik vind het wel prettig dat er Nederlandssprekende begeleiding is. Jij niet?'

Susan knikt. 'Ja, laten we daar maar heen gaan. Waar is het?'

Met behulp van het kaartje achterop de flyer vinden ze de duikschool binnen vijf minuten. Het blauwgeverfde gebouwtje is pal aan het strand gelegen en ziet er een stuk beter onderhouden uit dan waar ze net waren. Aan een steiger liggen vier boten, allemaal mooi in de verf. De duikflessen die op de grond staan zien er nieuw uit. Susan knikt goedkeurend. 'Laten we hier maar naar binnen gaan.'

De deur staat open. Susan loopt voor Hugo uit naar binnen. Er is een houten balie waar niemand achter zit en waar een reserveringenboek op ligt. Daarachter staat een computer die zo te zien zijn beste tijd heeft gehad, maar Susan heeft liever dat ze geld stoppen in duikuitrustingen dan in nieuwe computers. Aan de houten muren hangen foto's van mensen in duikuitrusting en van kleurrijk koraal. Eronder oude surfboards en flippers. Aan het plafond draait traag een fan.

'Hello?' roept Susan vragend. Ze kijkt naar Hugo. 'Hier is niemand.'

Hij loopt naar buiten en kijkt om zich heen. 'Misschien achter? Volgens mij hoort dat gebouwtje er ook bij. Ik ga wel even kijken.'

Hij loopt weg in de richting van een ander houten gebouw, waar luchtflessen voor staan. Susan loopt naar de wand en bekijkt de foto's. Ze maakt eruit op dat Passion for

Diving als een van de eerste duikscholen in Hurghada z'n deuren opende, voordat het massatoerisme het oorspronkelijke vissersplaatsje overspoelde. Ze ziet een groepje duikers met de armen om elkaar heen op de hoofdstraat van Hurghada, die op de foto een stuk minder volgebouwd is dan nu.

Buiten hoort ze stemmen. Hugo komt terug en heeft blijkbaar iemand gevonden. Ze praten Nederlands.

'Dat is mijn vrouw', hoort ze Hugo zeggen. 'Susan.'

Ze kijkt om. 'Hallo, ik...'

Het voelt alsof ze een stomp in haar maag krijgt. Haar ogen worden groot, terwijl het zweet haar uitbreekt. De wereld om haar heen vervaagt, er zijn alleen nog die bleekblauwe ogen die ze zo goed kent. Haar blik wordt ernaartoe gezogen, blijft erin haken.

Hem vergaat het niet veel anders. Hij staart ongelovig naar haar.

Ze likt aan haar droge lippen. Wat doet hij hier in godsnaam? Ze heeft het gevoel alsof ze in een foute film is beland en ongemerkt knijpt ze zichzelf hard in haar arm.

Nee, geen nachtmerrie. Althans, niet eentje waaruit ze wakker kan worden.

'Susan?' Hugo's stem komt van ver weg. 'Gaat het wel?'

Susan probeert woorden op een rijtje te krijgen, ze aan elkaar te rijgen tot een zin, maar het enige wat ze kan uitbrengen is: 'J-Johnny.'

'Susan.' Ze kent die stem, dat toontje. Hij is op zijn hoede. Hij is ook geschrokken, maar heeft zich sneller hersteld dan zij.

Dan klinkt Hugo's verbijsterde stem. 'Kennen jullie elkaar?'

Susan dwingt zichzelf tot nadenken. Ze moet met een verklaring komen. Hugo gaat vragen stellen, vragen waarop ze geen antwoord heeft.

'Ja', hoort ze Johnny zeggen. 'We kennen elkaar van vroeger. Uit Amsterdam. Susan woonde bij mij in de buurt.'

'Ah!' zegt Hugo opgewekt. 'Wat ongelooflijk toevallig dat jullie elkaar hier nou tegen het lijf lopen. Woonde je ook in Oost, Johnny?'

Susan ziet Johnny's wenkbrauwen omhoogschieten. Ze durft hem niet aan te kijken. Dan zegt hij langzaam: 'Ja. Inderdaad. Amsterdam-Oost, mooie wijk. Ik woonde aan de Middenweg, op de grens met Watergraafsmeer.'

Hugo lacht een beetje aarzelend. 'Dan woonde je niet echt bij Susan in de buurt, hè. Zij woonde in de Tweede Oosterparkstraat.'

Susan wil alleen maar weg. Ze werpt een blik langs Hugo en Johnny heen. De steeg in, de straat op en dan maar blijven rennen. Weg van Johnny's en haar eigen leugens, weg van Hugo, weg van het leven dat ze achter zich heeft gelaten en dat door één ontmoeting nu weer dichterbij is dan ooit.

Ze was vergeten wat een geraffineerde leugenaar Johnny is. 'Ja, later woonde ik aan de Middenweg', hoort ze hem zeggen. 'Tot mijn dertiende woonde ik in de Derde Oosterparkstraat. Susan en ik zaten bij elkaar in de klas op de basisschool. Ik heb nog oude schoolfoto's waar ze als peuter op staat.'

Hugo staat te knikken. 'Ze heeft wel eens verteld over de vrienden die ze vroeger op de basisschool had. Wat leuk om nu iemand te ontmoeten. Dan heb je zeker haar ouders ook wel gekend?'

Johnny werpt een blik op Susan. Ze weet dat ze nu moet ingrijpen.

'Ja', zegt ze met schorre stem. 'Johnny kwam vroeger weleens bij ons spelen. Hij is nog op de begrafenis van mijn vader geweest. En daarna van mijn moeder, na dat vreselijke auto-ongeluk.' Ze spreekt het laatste woord met veel nadruk uit.

Johnny wrijft over zijn kale, diepgebruinde schedel. 'Tragisch, inderdaad. Een vrouw die midden in het leven stond, weggerukt door zo'n noodlottig ongeval. We waren er allemaal kapot van.'

'En dan die brand', zegt Hugo met een meelevend knikje.

'Die brand, ja.' Johnny zet zijn zonnebril op. 'Vreselijk.'

Hij bluft zich eruit, zoals altijd. Voor het eerst is Susan er blij om. Ze hoopt dat Hugo niet verdergaat over de brand waarbij, voor zover hij weet, de overlijdenskaart, advertenties en alle steunbetuigingen die ze na het overlijden van haar moeder had gekregen, verloren zijn gegaan. Ze wil niet dat Hugo haar echte doodsoorzaak kent. Het zou te veel vragen oproepen.

'Maar goed.' Hugo glimlacht. 'We zijn hier niet om te treuren over het verleden. Susan en ik zijn naar Egypte gekomen om ons vijfjarig huwelijk te vieren. Voor het eerst sinds drie jaar zonder kind op vakantie.'

Susan hoeft niet naar Johnny te kijken om te weten wat zijn gezichtsuitdrukking is.

Zijn stem klinkt hard als hij herhaalt: 'Een kind?'

Hugo is op en top de trotse papa. 'We hebben een zoontje, Stijn. Hij is een paar weken geleden drie geworden. Een heerlijk mannetje, maar wel een handenbindertje, hoor. Nu we zonder hem op vakantie zijn, maken we gebruik van onze vrijheid. Daarom willen we graag een paar mooie duiken maken.'

Susan kijkt op, recht in Johnny's staalharde blik, en ze beseft dat ze hier nooit had moeten komen.

***

'Slet.'

Het klonk zacht, bijna alsof hij het lief bedoelde.

'Vuile slet.' Ineens schreeuwde hij. Ze verkrampte. Ze wilde dit niet, maar er was geen weg terug. Die was afgesneden toen hij het bedrag noemde dat hij van haar terugwilde. Ze had het niet, ze zou het nooit bij elkaar kunnen krijgen. Hij had haar de mogelijkheid geboden tijd te rekken, omdat hij gevoelig was voor haar. Na al die jaren begeerde hij haar. Zij hem niet, maar dit was de enige optie. Ze moest tijdrekken, hem nu zwakker maken en straks vluchten. En dan... Dan wist ze het niet.

Ze onderdrukte een kreet toen hij bij haar naar binnen drong. Dat gunde ze hem niet, een reactie van haar kant. Hij zou het als een aanmoediging opvatten, hij zou denken dat ze ervan genoot.

Had ze er ooit van genoten? Ze had zichzelf wijsgemaakt van wel. Hadden ze ooit iets gehad? Misschien. Misschien niet. Die labels waren toen niet belangrijk. Hij was de baas, zij deed wat hij wilde. Seks, moord. Hij zei het, zij deed het. Bijna. Ze was op tijd bij haar positieven gekomen, had ze beseft dat ze moest vluchten. Nu kon ze niet vluchten. Haar vlucht eindigde hier, in dit bed, in deze ranzige bovenwoning die duidelijk maakte dat hij allang de baas niet meer was.

En daarom was hij naar haar op zoek gegaan. Ze was veel te makkelijk te vinden geweest. Ze wist niet dat ze had moeten vluchten en nu ze het wel wist, zat ze in de val.

***

5

'AARDIGE VENT, VIND JE NIET?' HUGO TIKT MET ZIJN PEN tegen het inschrijfformulier. 'Volgens mij hoeven we niet verder te zoeken naar een andere duikschool.'

Hij staat tegen de balie geleund en vult zijn gegevens in op een voorgedrukt formulier waar groot een PADI-logo op staat. Johnny heeft hen alleen gelaten om twee duikuitrustingen te gaan halen.

Susan heeft nog steeds het gevoel dat de grond onder haar voeten golft. Zoveel aanbiedingen in de nieuwsbrief en van alle bestemmingen kiest zij net die ene waar Johnny tegenwoordig als duikinstructeur werkt. Duikinstructeur! Hij kan niet eens duiken. Kón niet eens duiken.

Susan heeft zijn naam in het reserveringenboek zien staan. Hij noemt zich Johnny van Wijk. En Johnny van Wijk kan wel duiken.

'Nou?' Hugo kijkt haar afwachtend aan. Zijn pen zweeft boven het formulier. 'We blijven toch bij deze duikschool? Het ziet er allemaal een stuk beter uit dan die vorige.'

Susan slikt. Ze zou er alles voor over hebben om een duik te maken met roestige zuurstofflessen op een verrotte boot. Waarom heeft ze nou niet voet bij stuk gehouden?

'Ze zijn ook niet zo duur', zet Hugo nog, terwijl hij zijn naam al heeft ingevuld.

'Tweemaal een duikuitrusting.' Johnny laat de pakken en zuurstofflessen zakken op een tafeltje. 'Als jullie er klaar voor zijn, mogen jullie je pak aantrekken. Er is daar een kleedkamer.' Hij wuift in de richting van een deur in de hoek van de ruimte.

'Heb je hier ook ergens een toilet?' Hugo kijkt om zich heen.

'Natuurlijk. Dan moet je buiten langs.' Johnny wijst hem de weg en Hugo verdwijnt. Susan voelt haar hart tegen de binnenkant van haar ribbenkast hameren.

'Zo', zegt Johnny als Hugo buiten gehoorafstand is. Van de vriendelijke duikinstructeur is plotseling niets meer over. 'Dus jij komt je oude vriend Johnny Korshikov met een bezoekje vereren?'

Terwijl elke spier in haar lijf gespannen staat, trotseert Susan zijn blik. 'Ik dacht dat jij tegenwoordig Van Wijk heet?'

'Lul niet.'

'Als ik had geweten dat je hier was, had ik deze stad gemeden als de pest.'

'Je had je kind mee moeten nemen', hoont Johnny. 'Hoe oud is hij nou? Drie?'

Susan voelt de angst in zich opvlammen. 'Je blijft met je poten van mijn kind af.' Ze zet een stap naar voren, zodat ze vlakbij Johnny staat en kijkt naar hem op. Ze was vergeten hoe groot hij is. Hij torent boven haar uit en pareert haar woede met een spottend lachje.

Hij brengt zijn hand omhoog. Een fractie van een seconde denkt Susan dat hij haar zal slaan, maar dan voelt ze zijn wijsvinger heel licht over haar wang strijken. 'Dus er was een brand...'

Met een ruk draait Susan zich om. 'Je houdt je bek, Johnny. Ik breek persoonlijk je knieschijven als je...'

Een felle pijnscheut schiet door haar linkerbovenarm als Johnny haar vastgrijpt. Hij trekt haar terug en houdt haar arm in een ijzeren greep. Susan ruikt zijn geur, een mengeling van zonnebrand, zout water en vers zweet. Johnny's mond is vlakbij haar, ze voelt zijn adem langs haar oor strijken. Het ruikt naar rook, gecamoufleerd door pepermunt.

'Ik kan rekenen, Susan.'

'Hij is niet van jou', brengt ze uit.

'O nee? Heb je het laten uitzoeken?' Het sarcasme druipt van zijn stem.

Ze bluft. 'Ja. Het is honderd procent zeker dat hij van Hugo is.'

Susan tuimelt bijna voorover als Johnny haar plotseling loslaat. Het volgende moment klinkt de stem van Hugo. 'Ik heb er echt zin in. Het is jaren geleden dat ik voor het laatst heb gedoken. Ik ben benieuwd. Hé, heb je je pak nog niet aan?' Hij werpt een verwonderde blik op Susan.

Ze hoopt dat hij haar bezwete hoofd wijt aan de warmte. 'Nee, ik eh...'

‘We hadden het over vroeger’, zegt Johnny met een grijns. ‘Ineens komen er natuurlijk allemaal herinneringen boven.’ Hij kijkt weer naar Susan. ‘Ken je die vrouw nog, die op de hoek van de straat woonde? Een gek, dat was het. Ze had ook een dochter. Zo’n beetje jouw leeftijd, volgens mij.’

Susan knikt onwillig. Ze bijt op de binnenkant van haar wang. Ze mag zich niet laten opfokken door zijn getreiter.

‘De geruchten deden de ronde dat ze zichzelf heeft verhangen, maar toen woonde ik daar al niet meer.’

Susan slikt. Ze balt haar handen tot vuisten, zodat haar nagels diep in haar eigen vlees prikken en concentreert zich op de pijn. Een truc die ze al heel lang niet meer heeft gebruikt.

‘Of niet?’ Johnny geeft niet op. ‘Ging dat gerucht niet?’

Susan hoort zelf dat haar stem vreemd klinkt als ze zegt: ‘Ik heb dat nooit gehoord.’

‘In elke buurt wordt zo veel geroddeld’, zegt Hugo. ‘Iets kleins wordt opgeblazen tot de wildste verhalen de ronde gaan doen. Helemaal waar wij wonen, in Almere-Buiten!’ Hij lacht hardop. ‘Als iedereen die zogenaamd zou gaan scheiden daadwerkelijk uit elkaar zou gaan, zou er in de buurt niet één huwelijk hebben standgehouden.’

Susan duwt haar nagels dieper in haar handpalmen. Johnny krijgt te veel informatie.

‘Ik ga me omkleden’, zegt ze nogal abrupt. Resoluut pakt ze haar duikpak en trekt de deur van het kleedhok open. Het is er bedompt en muf. Susan slaat de deur achter zich dicht en haalt diep adem, maar het beklemmende gevoel op haar borst verdwijnt niet.

Het gerucht gaat dat ze zich heeft verhangen.

Ze schudt wild met haar hoofd om Johnny's honende stemgeluid kwijt te raken, maar de zin blijft zich in haar brein herhalen en rijt als een pas geslepen mes wonden open waarvan ze dacht dat ze allang geheeld waren.

Dat ze zichzelf heeft verhangen...

Ze had zich niet verhangen, het waren pillen. Maar vrijwel direct dook het verhaal op dat ze zichzelf had opgehangen in het trapgat. Susan wist niet waar het vandaan kwam. Pas veel later had ze bedacht dat Johnny er misschien achter zat..

Ze ziet weer het gezicht van haar tante, die haar opving toen ze die middag uit school kwam. Haar derde maand in de brugklas.

De rode jurk, die ze kende van de avondjes uit. De rode jurk die haar altijd zo goed had gestaan. Het lijkbleke gezicht in de kist, dat niet meer leek op het gezicht dat ze zo goed kende.

Ze herinnert zich de rauwe kreet waarmee ze om haar moeder schreeuwde op de begrafenis. Haar tweede begrafenis binnen een jaar.

Susan rukt met een woest gebaar haar T-shirt over haar hoofd en trapt haar slippers uit. Eén duik. *No way* dat ze hier daarna nog terugkomt.

6

DE BOOT WAARMEE ZE DE ZEE OP GAAN IS EEN WIT MOtorjacht dat 'Athena' heet. Het ligt aan een steiger, dobberend op het diepblauwe water van de Rode Zee.

'De eigenaar is een Griek', verklaart Johnny, als hij Susans blik op de sierlijke zwarte letters op de boeg van het schip gericht ziet. Ze was vergeten hoe scherp hij mensen in de gaten houdt.

Niets voor Johnny om voor een baas te werken, denkt ze. Hij maakte altijd liever zelf uit wat hij wel en niet deed.

Ze schuift haar zonnebril in haar haar. 'Ik dacht dat de duikschool van jou was.'

Johnny schudt zijn hoofd en kijkt langs haar heen naar de twee jonge knapen die de duikuitrusting aan boord brengen. Ze wachten op Hugo, die toch een grotere maat duikschoenen wilde en naar de honderdvijftig meter verderop gelegen duikschool is teruggekeerd. Nu ze in het zicht van de loopjongens staan raakt Johnny haar niet aan, wat Susan een vals gevoel van veiligheid geeft.

Susan kijkt naar hem. In haar herinnering was hij dunner. Door zijn zwarte duikpak heen ziet ze dat hij behoorlijk wat kilo's is aangekomen sinds de laatste keer dat ze hem heeft gezien. Misschien is hij gestopt met zijn dagelijkse urenlange sportritueel dat hem tot een van de sterkste mannen van Amsterdam maakte. Of wellicht heeft hij de drugs afgezworen, die hem dun hielden omdat hij onder invloed soms dagenlang niet at.

Hij is in elk geval niet gestopt met roken. Zijn vingers spelen achteloos met een sigaret. Marlboro. Hij is niet van merk veranderd.

Ze monstert zijn gezicht. Zijn blauwe ogen, die diep in hun kassen liggen. Zijn bruine wenkbrauwen. Dezelfde kleur als zijn haar, toen hij dat nog had. Hij is begonnen zijn hoofd te scheren toen zijn kruin kaal werd en blijkbaar is hij daar nooit meer mee opgehouden. De zon weerkaatst op zijn hoofdhuid en op zijn gouden ketting, waar een kruisje aan hangt. Ze moet zich inhouden om geen spottende opmerking te maken.

Susan kijkt naar zijn duikpak, dat tot zijn navel openstaat. Borsthaar heeft hij niet. Zijn huid is bruiner dan ze die ooit heeft gezien. In Amsterdam had hij, zelfs in de zomer, altijd een bijna ziekelijk bleke tint.

Amsterdam. Beelden uit een vorig leven dringen zich aan haar op. Johnny, zuipend op het zoveelste feest. Susan lazarus in een hoek van de kamer. Was ze elke dag dronken? Ze kan het zich niet meer herinneren. Het grootste deel van de tijd in elk geval wel. Ze voelde zich geweldig zodra die eerste druppel alcohol haar lippen passeerde. Een drankprobleem, misschien had ze dat wel. Het was het minste van haar problemen.

Aan het eind van de avond kwamen zonder uitzondering de opstootjes. Heel soms, als het om grote zaken ging, was Johnny erbij betrokken, meestal hield hij zich afzijdig. Hij stond erboven. De natuurlijke leider. Met zijn handen als kolenschoppen kon hij alle vechtersbazen tot stoppen manen zonder dat hij ze ook maar met een vinger aan hoefde te raken. Zijn blote handen waren genoeg om iemand het zwijgen op te leggen, desnoods voorgoed. Susan wordt misselijk als ze aan haar hondje denkt. Gevonden in een kartonnen doos bij een prullenbak. Diezelfde avond door Johnny gewurgd. Gewoon. Dat was zijn antwoord toen ze hem vroeg waarom. Gewoon.

Machtsvertoon.

Waarom is hij naar Egypte gegaan? Er moet een reden zijn. En zij moet erachter komen wat die is. Nu ze terug is op Johnny's netvlies en hij vermoedens heeft over Stijn, kan ze niet zo naïef zijn te denken dat hij haar vergeet zodra ze op het vliegtuig naar Nederland zit. Schuld verjaart niet.

Misschien weet Nadia het. Susan heeft in geen jaren contact met haar gehad. Ze had gehoopt dat ook Nadia zou afhaken, maar zij bleef en ook al waren ze vriendinnen, Susan heeft haar nooit meer gesproken.

Ineens richt Johnny zijn blik weer op haar. 'Je hebt het getroffen met je echtgenoot', zegt hij.

Susan kijkt hem wantrouwig aan. 'Ja', zegt ze op haar hoede. 'Ik wil hem niet graag kwijt.'

Johnny kijkt haar aan. 'Wat bedoel je daarmee?'

Ze ontwijkt zijn ogen en richt haar blik op het jacht. 'Hoe kom je hier terecht? Ik dacht dat jij in Amsterdam zat.'

'Zat, ja. Maar dingen veranderen.' Hij zendt haar een spottende blik. 'Dat zou jij toch moeten weten.'

'Zit je hier al lang?' probeert ze.

Johnny kijkt haar geringschattend aan. 'Wat een interesse ineens voor mij. Je bent jaren bezig geweest te doen alsof ik niet besta en nu ineens wil je alles weten.' Hij stopt de sigaret tussen zijn lippen en steekt hem aan. 'Ik wil weten van wie het kind is.'

Susan verstijft. Ze kijkt schichtig om zich heen of Hugo er niet toevallig aankomt. 'Dat heb ik je gezegd', sist ze dan. 'Ik heb het laten checken en het is van Hugo.'

'Ik wil bewijs.' Johnny neemt een trek van zijn sigaret en kijkt relaxed om zich heen, alsof ze een gesprek voeren over hoe blauw de zee vandaag is. 'Als hij mijn zoon is, heb ik het recht om dat te weten.'

Susan voelt het zweet op haar rug prikken. Ze haalt moeizaam adem. Dat verdomde duikpak is bloedheet. 'Je weet het al: Stijn is jouw zoon niet.'

'Bewijs.' Johnny schiet zijn half opgerookte sigaret met duim en wijsvinger het water in. 'Je weet dat je maar beter kan zorgen dat ik het krijg.'

Vlak langs haar heen beent hij weg. De geur van Marlboro prikt in haar neus.

'Prachtig, hè?' Hugo kijkt genietend om zich heen. Susan volgt zijn blik, maar de azuurblauwe zee kan haar niet zo bekoren als Hugo. Ze kijkt naar de kustlijn, die ver weg is. De gebouwen van Hurghada zijn nog maar stipjes in de verte. Ze schat de afstand in. Zeshonderd meter, minimaal.

'Heb je zin om te duiken?' roept Hugo. Zijn stem wordt door de wind weggeblazen. Susan doet alsof ze het niet hoort.

Ze voelt het zoute water op haar armen spatten als ze over de golven vliegen. Johnny vaart hard, te hard naar haar mening. De boot laat een wit spoor achter in het water.

Plotseling zit Hugo naast haar. 'Hé, wat is er? Je bent zo afwezig.'

Ze schakelt snel om. 'Ik dacht aan Stijn. Ik mis hem. Zou hij het naar zijn zin hebben bij je ouders?'

Hugo knikt. 'Natuurlijk. Hij is dol op zijn opa en oma en zij op hem. Maar ik mis hem ook. De volgende keer nemen we hem mee, hoor. Hij zou het ook leuk vinden om te gaan varen.'

'De volgende keer gaan we naar Spanje', zegt Susan. 'Dan gaat hij sowieso mee.'

'Ja, maar ik zat te denken dat we misschien volgend jaar wel weer naar Egypte kunnen gaan. De vliegreis is me honderd procent meegevallen en ik weet zeker dat Stijn het hier heel leuk zou vinden. In het hotel hebben ze een pierebadje en de zee is rustig genoeg om in te pootje baden. Waarom gaan we volgend jaar niet naar Hurghada in plaats van naar Spanje?'

Volgend jaar klinkt nog mijlenver weg. Susan durft er niet eens aan te denken. Ze moet eerst deze dag tot een goed einde zien te brengen.

'Het is wel een stuk duurder dan Spanje', zegt ze uiteindelijk maar.

Hugo schudt fanatiek zijn hoofd. 'Ik wist dat je dat zou gaan zeggen, maar het valt dus wel mee. Natuurlijk is het hotel duurder dan het huisje in Spanje, maar als je alles bij elkaar optelt verschilt het niet zo veel. In Spanje zijn we per dag heel wat geld kwijt aan eten en drinken, hier zit alles erbij in.'

'Daar heb je gelijk in', zegt Susan. Ze wil dat Hugo zijn mond houdt.

Hij raakt haar schouder aan. 'Je bent behoorlijk aan het verbranden. Heb je je wel goed ingesmeerd?'

'Ja, vanochtend nog.'

'Niet goed genoeg, blijkbaar.' Hij hengelt naar zijn rugzak en haalt er een fles zonnebrandcrème uit. 'Draai je eens om, dan smeer ik je rug goed in. Op het water verbrand je veel sneller.'

Met tegenzin draait Susan een kwartslag. Ze heeft nu recht uitzicht op Johnny, die in het stuurhuis aan het roer staat. Hugo spuit zonnebrand op haar schouders, waarvan ze nu pas voelt dat ze gloeien. Hij begint het uit te wrijven.

Net op dat moment draait Johnny zijn gezicht naar haar toe. De blik in zijn ogen verraadt zijn gedachten als hij het tafereeltje ziet. Susan doet haar mond open, maar kan niets bedenken om te zeggen.

Johnny richt zijn blik weer op de zee voor hem. Susan voelt haar hart in haar keel kloppen. Hugo is klaar met het insmeren van haar rug en neemt weer op de bank tegenover haar plaats. Hij inspecteert zijn dieptemeter en tikt tegen zijn duikhorloge. Ze kent die opgewonden blik die zijn gezicht iets jongensachtig geeft. Avontuurlijk ingesteld is hij niet, maar duiken heeft hij altijd leuk gevonden. Wat hem betreft had ze geen betere keuze kunnen maken dan Egypte.

Plotseling mindert het jacht vaart tot het uiteindelijk helemaal stil komt te liggen. 'Zo.' Johnny komt uit het stuurhuis. Hij heeft zijn duikpak tot boven dicht geritst. 'We zijn er.'

Hij draait het anker uit. 'Hier vlakbij is een prachtig rif, waar ik jullie mee naartoe wil nemen. Je zult niet weten wat je ziet. Er zijn honderden vissen en het koraal is nog bijna onaangetast. Dat is tegenwoordig iets unieks.'

Hij trekt een zorgelijk gezicht. 'De zeeën rond Egypte worden zo druk bevaren dat het koraal er ontzettend onder te lijden heeft', legt hij uit, terwijl hij alle spullen in gereedheid brengt. 'Die grote vrachtschepen en olietankers laten duidelijke sporen achter en de vervuiling van het water maakt dat veel koraal geheel of gedeeltelijk afsterft. Daar komt dan natuurlijk nog de pleziervaart bij. Maar gelukkig zijn sommige delen inmiddels beschermd, zodat het koraal weer kan aangroeien. Wat we vandaag gaan zien, is zo'n beschermd stuk. De duikschool heeft een vergunning om hier te mogen duiken, en ik ben blij dat ik dit prachtige stuk natuur aan jullie kan laten zien.'

Susan trekt de rits van haar duikpak dicht tot aan haar kin. Ze luistert niet naar Johnny, die doet alsof de natuur hem ontzettend aan het hart gaat. Ze pakt haar duikbril en spuugt erin. Langzaam zet ze de bril op haar neus en trekt de plastic band aan. Ze draait de snorkel zo dat die voor haar mond komt te zitten. Daarna trekt ze haar trimvest aan, waar de duikfles al aan vastzit. Eén voordeel: onder water kan Johnny niet praten. Ze werpt een blik op hem. Hij helpt Hugo zijn duikfles goed te bevestigen.

Resoluut trekt Susan het vest dicht. Ze moet ophouden zichzelf gek te maken. Johnny zit hier niet voor niks. Hij zal niet zomaar haar hele verleden aan Hugo vertellen. Dan brengt hij zichzelf ook in gevaar en dat zal het laatste zijn dat hij wil.

Hugo schuift zijn flippers aan zijn voeten, trekt zijn duikbril naar beneden en gaat staan. Hij doet het mondstuk van de regulator in en weer uit en knikt dan. 'Alles is in orde, ik ben er klaar voor.'

Johnny knikt. 'Mooi. Jij, Susan?'

'Ja.' Ze trekt ook haar flippers aan en schuifelt achterstevoren naar het trapje aan de achterzijde van het dek. Hugo is al afgedaald en plonst in het water.

'Het is heerlijk!' roept hij verrukt. 'Je hebt dat wetsuit niet eens nodig.'

'Dat denk je nu', antwoordt Johnny vanaf het dek. 'Wacht maar tot je naar de bodem gaat. Daar wordt het snel koel.'

In het water koelt je lichaam twintig keer sneller af, herinnert Susan zich van de PADI-cursus. Anders dan wat veel mensen denken is onderkoeling doodsoorzaak nummer één bij verdrinking. Je blijft te lang onder water, je lichaamstemperatuur neemt af tot minder dan 35 graden, de grens voor onderkoeling. Daarna komt 32 graden, de kritieke lijn, en al je organen vallen uit. Ook je hart. Verdrinking heet het, als je eindelijk uit het water bent gehaald. Maar eigenlijk is het de kou die je fataal wordt.

Maar ze moet Hugo gelijk geven. Door haar wetsuit heen voelt ze de aangename temperatuur van het water. Het is zo helder dat ze haar flippers kan zien. Om haar voeten zwemmen al wat nieuwsgierige visjes. Achter haar klinkt een plons en dan duikt Johnny naast haar op. 'Susan, ik wil dat jij bij mij in de buurt blijft. Je hebt niet officieel je PADI gehaald en daarom wil ik je geen moment uit het oog verliezen. Het is voor je eigen veiligheid.'

Ironisch, denkt ze. Johnny ziet de blik niet die ze voor hem in petto heeft. Hij laat zijn ogen over het water dwalen en wijst naar rechts. 'Daar is het rif. Om er even in te komen wil ik voorstellen nu alvast de regulators in te doen en onder water te gaan. Ik ga voorop naar het koraal, Susan volgt mij en Hugo sluit de rij. Als er iets is, stoppen we en gaan we desnoods naar boven. Ik neem aan dat jullie de gebaren daarvoor kennen?'

Hij wacht tot ze allebei knikken en doet dan het mondstuk in. Susan en Hugo volgen zijn voorbeeld. Susan wacht tot Johnny onder water verdwijnt, haalt een paar keer adem door haar regulator en duikt dan ook onder het wateroppervlak.

De eerste teugen voelen nog wat onwennig aan, maar al snel heeft ze het ademen onder water weer helemaal onder de knie. Ze kijkt voor zich en ziet Johnny tien meter verderop op haar wachten. Hij maakt een vragend gebaar, zij antwoordt dat alles goed is door met haar duim en wijsvinger een rondje te maken. Hij knikt en gaat haar voor richting het rif. Susan kijkt om en ziet de zwarte gestalte van Hugo naderen.

Met haar flippers baant ze zichzelf een weg door het water. Johnny had gelijk, onder water wordt het snel koeler. Ze is blij met haar wetsuit. Als ze boven zich kijkt ziet ze het lichte oppervlak, dat al verder weg is dan ze dacht. De druk op haar oren neemt toe. Met haar duim en wijsvinger knijpt ze haar neus dicht en dan probeert ze te blazen. Eerst voelt ze een plop in haar linkeroor, dan in haar rechter, en het drukgevoel is verdwenen. Ze kijkt even om en ziet dat Hugo hetzelfde doet. Daarna gebaart hij dat het is gelukt en dat ze verder kunnen.

Susan begint eindelijk een beetje te ontspannen. Hier onder water kan haar weinig gebeuren. Ze kijkt naar Johnny, een meter of vijftien voor haar. Hij beweegt soepel door het water, je ziet dat hij een geoefende duiker is. Ze heeft hem nooit over duiken gehoord, waarschijnlijk heeft hij het pas geleerd toen zij al uit beeld was. Misschien zelfs pas hier in Egypte, omdat hij weg moest uit Nederland en werk moest hebben. Dezelfde reden waarom zij op haar eenentwintigste een secretaressecursus heeft gevolgd.

Susan klaart nogmaals haar oren en kijkt om zich heen. Hoe dieper ze gaan, hoe meer vissen zich om hen heen verzamelen. Rond haar voeten zwemt een school visjes met zwarte strepen en een gele rug. Ze heeft in de reisgids iets gelezen over de meest voorkomende vissen in de Rode Zee, maar ze is de namen vergeten. Links van haar duikt een blauwe vis op, met een opvallende gele vlek. Hij is een centimeter of dertig en kijkt haar onbewogen aan. Ze weet dat ze hem in het boek heeft zien staan, maar ook die naam is haar ontschoten. Gefascineerd staart ze naar het beest terwijl ze zich afvraagt wie nou eigenlijk wie komt bekijken.

Ineens voelt ze een tik op haar schouder. Susan schrikt en kijkt met een ruk om, waarbij haar regulator bijna uit haar mond schiet. Even hapt ze paniekerig naar adem, terwijl ze probeert een beeld te krijgen van degene achter haar. Ze voelt een steek in haar longen. Ze krijgt geen lucht. Ze stikt! Degene achter haar pakt haar schouders nu vast. Ze heeft het gevoel dat ze naar de bodem wordt gedrukt. Haar longen branden en haar hart begint onregelmatig te hameren.

Susan wil schreeuwen, maar net op tijd realiseert ze zich dat dat onder water gelijkstaat aan haar doodvonnis. Ze grijpt haar regulator vast en dwingt zichzelf adem te halen. De pijn verdwijnt uit haar longen en langzaam zakt ook het gevoel dat ze aan het stikken is. Haar blik is vertroebeld door de tranen die in haar ogen zijn gesprongen. Ze knippert een paar keer om weer helder zicht te krijgen en kijkt om, recht in het bezorgde gezicht van Hugo.

Voor haar duikt ook Johnny op. Hij maakt een "is alles oké?"-gebaar en kijkt vragend.

Susan haalt een paar keer diep adem door haar regulator, tot haar lijf niet langer trilt. Ze dwingt zichzelf zich alleen nog maar op het ademhalen te concentreren en knikt dan. Johnny en Hugo blijven vragend kijken en Susan realiseert zich weer dat onder water andere communicatievormen gelden. Opnieuw laat ze met haar hand weten dat het goed met haar gaat. Johnny draait zich om en zwemt verder. Hugo houdt nog even haar hand vast, maar als Susan zijn blik ontmoet en hem duidelijk maakt dat ze het wel alleen redt, laat hij haar los. Ze volgt Johnny en probeert zich op de vissen te concentreren.

***

Nadat hij met veel geschreeuw was klaargekomen was zij opgestaan en had ze zich in de kleine, smerige badkamer teruggetrokken. Vroeger had hij een groot appartement gehad, met alle mogelijke luxe om maar te laten zien hoe machtig hij was. Die tijd was voorbij, wie het ook waren die hem op de hielen zaten, ze hadden alles afgepakt wat hij had. En blijkbaar wilden ze meer. Daarom wilde hij terug wat ooit van hem was geweest. Maar ze had het niet. Tweehonderdduizend gulden. Hij vroeg nu honderdduizend euro. Waarom had haar vader zo veel geld nodig gehad?

Hij wist het niet, zei hij. Het kon hem ook niet schelen. De schuld stond uit en iemand moest hem betalen. De enige die in aanmerking kwam was zij.

Maar het had geen zin, want ze had het geld niet. Natuurlijk had ze geen ton op haar rekening staan. En hoe ze eraan moest komen wist ze niet.

Ze wist alleen dat haar afleidingstruc niet lang zou werken. De volgende keer kwam ze hiermee niet weg. Ze wist hoe hij afrekende met mensen die niet deden wat hij wilde...

Ze moest iets nieuws bedenken en snel ook.

***

7

'WAT BEN JE STIL.'

Susan schrikt op uit haar gedachten en ontmoet Hugo's vragende blik. Ze kijkt naar haar bord, waar ze onbewust rijst en groenten heen en weer heeft geschoven zonder een hap te nemen.

'Voel je je wel lekker?' vraagt Hugo.

Susan schudt haar hoofd, blij met de uitweg die hij haar biedt. 'Nee, ik ben erg moe. En misselijk. Misschien kunnen we beter naar de kamer gaan.'

'Misselijk?' Hugo gaat een beetje meer rechtop zitten. 'Kan het ook...'

Susan schudt haar hoofd en onderdrukt een geërgerde opmerking. 'Nee, ik ben niet zwanger, Hugo. Ik denk dat het Egyptische eten me parten begint te spelen. Ik heb totaal geen honger.'

Hugo kijkt verlangend naar het buffet. 'Zelf lust ik nog wel wat. Waarom ga jij niet vast naar de kamer als je je niet lekker voelt? Ik kom zo.'

Eindelijk kan ze even alleen zijn. Susan verlaat de eetzaal en loopt via de receptie naar buiten, op weg naar de kamer. Hoewel het bij achten is, is het nog steeds aangenaam warm buiten. De krekels maken een regelmatig, snerpend geluid. Susan volgt het met lage lampen verlichte pad naar het blok waarin hun kamer is gevestigd. De sprinklers die het gras besproeien zoemen zachtjes. Het is rumoerig op het resort. Uit de bar bij het zwembad stijgt gelach op. Het zwembad zelf ligt er blauwverlicht en stil bij. Susan blijft even staan en denkt aan Stijn. Hij is dol op zwembaden, hij zou zich hier de hele dag kunnen vermaken.

Stijn. Natuurlijk weet ze allang dat de mogelijkheid bestaat dat Hugo niet de vader is van hun zoontje, maar dat heeft ze altijd effectief naar de verre achtergrond van haar geheugen verdrongen.

Tot Johnny. Ze wordt misselijk als ze aan hem denkt. De geur van waterpijp dringt haar neusgaten binnen en maakt het gevoel erger. Ze slikt en loopt verder. Het is prettig om even alleen te zijn. Ze moet nadenken, haar strategie bepalen. Kan ze Johnny negeren? Laat hij zich wel negeren? Blaast hij hoog van de toren of heeft ze echt van hem te vrezen?

Tien jaar geleden wel, toen was hij een van de gevaarlijkste mannen van Amsterdam. Maar hij is van zijn troon gevallen. Ze denkt aan die badkamer, aan de schimmel op de muren, de prop haren in het putje. De geur van verderf. Johnny is de koning niet meer.

Susan slaat het paadje in naar het blok waarin hun kamer gelegen is. Ze loopt de trap op naar de eerste verdieping en stopt het kaartje in de deur. Er klinkt een klik en ze gaat naar binnen.

Op de kamer is het aangenaam koel. Susan stopt het kaartje in het kastje aan de muur en de lampen floepen aan. Ze sluit de deur en laat zich op het bed zakken. Met twee handen wrijft ze over haar gezicht.

Er klinkt een korte, harde klop op de deur.

Susan verstijft. Hugo is het niet, hij zou iets roepen. Housekeeping zal het op dit tijdstip ook niet zijn.

'*Hello*?' roept ze vertwijfeld. '*Who is it*?'

Opnieuw die klop, maar geen antwoord. Susans hart begint te bonken in haar keel. Haar handen worden klam. Ze kijkt door het spionnetje, maar het is kapot. Langzaam reikt haar hand naar de deurklink. Ze zet haar voet zo neer dat iemand de deur niet zomaar kan openduwen en drukt dan de klink naar beneden.

Voor de deur staat Johnny. Met één arm leunt hij relaxed tegen de muur. Hij kijkt alsof hij niet anders had verwacht dan dat Susan in haar eentje op de kamer zou zijn en tegelijkertijd realiseert Susan zich dat dat waarschijnlijk ook zo is. Hij is haar gevolgd, weet dat Hugo nu alleen in het restaurant zit en dat zij niet anders kan dan met hem praten.

'Rot op.' Ze wil de deur dichtgooien, maar Johnny zet zijn voet ertussen. Hij is van staal, herinnert Susan zich, je moet van goeden huize komen als je Johnny Korshikov pijn wilt doen.

'Niet zo snel.' Er flikkert iets boosaardigs in zijn ogen. 'Ik geloof niet dat wij al uitgepraat zijn.'

'Ik heb jou niets te zeggen.'

'Dat denk ik wel.'

Susan kijkt naar links en rechts. Er lopen mensen over de gang, die nieuwsgierig kijken naar wat op het eerste gezicht een ruziënd stelletje is bij de deur van hun hotelkamer. Ze wil de aandacht niet op zich vestigen, er hoeft maar één iemand deze week een opmerking te maken en ze heeft Hugo heel wat uit te leggen. In het hotel stikt het van de Nederlanders.

'Niet hier', zegt Susan. Ze pakt het sleutelkaartje weer, waardoor de lichten doven en trekt daarna de deur achter zich dicht. 'We gaan wel een stukje lopen.'

Voor Johnny uit loopt ze de trap af. Aan het einde van het paadje slaat ze rechtsaf, in de richting van het strand. Als Hugo terugkomt uit de eetzaal zal hij hen in elk geval niet zien.

Johnny komt naast haar lopen. Susan voelt hem, ruikt hem. Alles in haar zegt ze dat wegwezen moet, maar ze zal met hem moeten praten.

'Hoe wist je dat ik in dit hotel zit?' vraagt ze.

'Je lieftallige echtgenoot.' Het sarcasme druipt van Johnny's stem. 'Hij praat nogal veel, maar dat is jou vast ook opgevallen.'

Susan geeft geen antwoord. Ze daalt het stenen trappetje af dat uitkomt op het verlaten strand. Ze loopt de keurig opgestapelde strandstoelen voorbij op weg naar het water, waar het donker genoeg is om uit het zicht van mensen op het pad te verdwijnen. De zee kabbelt zachtjes. Ze ziet het water niet, ze hoort het alleen maar. Susan trekt haar slippers uit en laat het water tussen haar tenen doorstromen. Johnny kijkt van twee meter afstand toe.

'Ga je het zelf zeggen of moet ik het nog uitleggen?' vraagt hij, als Susan niets zegt.

Uiterlijk probeert ze kalm te blijven, maar in haar hoofd draaien haar gedachten op volle toeren.

'Goed, ik moet het uitleggen.' Johnny tast in zijn broekzak naar zijn sigaretten en vist dan een losse Marlboro tevoorschijn. Op zijn dooie gemak steekt hij de sigaret aan. De gloeiende punt licht oranje op in het donker. Susan probeert op haar horloge te kijken, maar het is te donker. Ze is zeker twintig minuten geleden vertrokken van het buffet. Hugo zal nu wel bij de kamer zijn. Hij kan er niet in. Ze weet zeker dat hij haar gaat zoeken.

Johnny blaast de rook van zijn sigaret uit en richt zijn blik dan op haar. 'Wij weten allebei dat jij niet hebt laten uitzoeken wie de vader van Stijn is. Dat betekent dat er vijftig procent kans is dat ik dat ben.'

'Je bent het niet. Ik was die dag niet vruchtbaar', liegt Susan. Een licht briesje doet haar huiveren. In de verte klinkt opnieuw het gelach van mensen die op weg zijn dronken te worden. 'Je kunt het niet zijn.'

'Je liegt weer.' Johnny neemt een grote trek van zijn sigaret. 'Ik wil weten of Stijn mijn zoon is en zo ja, dan wil ik hebben waar vaders recht op hebben. Dan wil ik dat hij mij leert kennen, zijn echte vader.'

Susan slikt een sneer in. Alsof Johnny ook maar iets geeft om iemand anders dan zichzelf. Hij zit niet te wachten op een kind, hij moet andere plannen hebben. Chantage, bijvoorbeeld. Een manier om toch zijn geld terug te krijgen.

'Ik wil een DNA-test', zegt Johnny dan.

Met een ruk kijkt Susan op. Ze voelt paniek in zich opborrelen. 'Je hebt geen kind, en je krijgt al helemaal geen

DNA-test. Stijn is van Hugo, dat heb ik je nu al tien keer verteld. Laat me met rust. Laat mijn gezin met rust.'

'Je gezin!' Hugo gooit zijn hoofd in zijn nek. 'Laat me niet lachen, Susan. Wat stelt dat gezin voor als je man niet eens weet waar je vandaan komt? Hij heeft geen idee wat je vader echt deed, of waarom je zo graag weg wilde uit Amsterdam. Wat heb je hem wijsgemaakt? Je miste rust? En ruimte?'

Hij slaat de spijker op z'n kop, maar ze weet onbewogen te blijven. 'Laat ons met rust, Johnny. '

In één stap staat hij vlak voor haar. 'Die DNA-test komt er, of je nou meewerkt of niet. Ik weet waar Stijn is.'

Susan probeert haar bonkende hart onder controle te krijgen. Ze slikt. 'Van Stijn blijf je af. Ik zweer dat ik je vermoord als je hem iets aandoet.'

Johnny kijkt haar onbewogen aan. Dan heft hij zijn hand en strijkt een losgeraakte haarlok achter Susans oor. Ze huivert.

'Zijn oma zal wel schrikken als er ineens politie voor de deur staat.'

Na die woorden draait hij zich om en loopt weg. Via het trapje loopt hij naar het pad en verdwijnt om de bocht.

Pas als ze hem niet meer ziet, begint Susan te trillen. Natuurlijk laat hij zich niet afschepen met haar bewering dat Stijn van Hugo is, ze had beter moeten weten. Hugo heeft hem verteld dat Stijn bij opa en oma is, Hugo heeft hem alles verteld. Johnny hoefde alleen maar te luisteren en te knikken. Hij mag dan op de vlucht zijn voor godweet-wie, hij heeft nog altijd zijn contacten in Amsterdam. Politie is slechts een van de vele vermommingen die ze gebruiken. Katrien heeft groot ontzag voor de politie.

Susan begint te rennen. Ze moet Katrien bellen, haar waarschuwen dat ze Stijn aan niemand moet meegeven. Wat moet ze zeggen? Dat ze heeft gehoord dat er iemand in de buurt rondloopt die het op kleine kinderen heeft voorzien? Maar waarom moet Katrien dan uitkijken voor politieagenten? Susan kan moeilijk zeggen dat de zogenaamde kinderlokker zich heeft uitgedost als politieman.

Hijgend bereikt ze de trap en rent naar boven. De deur van de kamer staat open. De schrik slaat haar om het hart.

'Hugo!' roept ze met schorre stem. Ze ramt het kaartje in het stroomkastje en het licht floept aan. Er is niemand op de kamer. Ze kijkt in de badkamer. Leeg.

Susan rent de gang op. 'Hugo?' roept ze hijgend van spanning. Wat heeft Johnny gedaan? Hij is sterker dan Hugo, veel sterker.

'Susan?'

Ineens staat Hugo voor haar. Hij komt van de trap, van buiten. 'Waar was je nou?'

Zijn ogen staan bezorgd. 'Ik kon je niet vinden in de kamer, dus ben ik je gaan zoeken. Ik dacht dat er iets met je was gebeurd, dat je onderweg niet lekker was geworden.'

Susan werpt zich in zijn armen en klampt zich aan hem vast. Ze ruikt zijn vertrouwde geur, vermengd met een restje zonnebrand. Ze slikt opkomende tranen weg. 'Ik dacht dat je...'

Haar woorden worden gesmoord in zijn nek. Ze zegt niets meer. Ze is zelden zo blij geweest om Hugo te zien, hoewel ze beseft dat haar reactie overtrokken is.

Hugo maakt zich los uit haar omhelzing en trekt haar mee de kamer in. 'Wat is er toch met je?' vraagt hij als ze naast elkaar op de rand van het bed zitten. 'Eerst zeg je dat je naar de kamer gaat, maar als ik hier kom ben je gevlogen. Dan begroet je me alsof ik een jaar weg ben geweest. Gaat het wel goed met je, Suus? Zit je ergens mee?'

Hij kijkt zo oprecht ongerust dat Susan opnieuw tranen voelt prikken. Ze wil hem in vertrouwen nemen, haar zorgen om Stijn en henzelf met hem delen, maar dat gaat niet. Ze zal dit alleen moeten oplossen.

'Ik dacht dat de zeelucht me goed zou doen', verzint ze snel. 'Dus ben ik naar het strand gegaan. Maar ik voelde me eigenlijk alleen maar beroerder. Ik wilde terug naar de kamer om bij jou te zijn, maar je was er niet.'

'Nee, ik kwam hier, maar moest naar de receptie lopen om een pasje te halen, omdat je niet opendeed. En toen ik terugkwam, zag ik dat je er niet was. Waarom ga je niet even liggen? Je ziet eruit alsof je op het punt staat flauw te vallen.'

Susan legt haar hoofd tegen Hugo's schouder. Ze had alleen maar gezegd dat ze misselijk was om even alleen te kunnen zijn, maar inmiddels voelt ze zich echt behoorlijk beroerd. De ontmoeting met Johnny heeft een knoop in haar maag gelegd. Ze slikt, maar het gevoel dat ze elk moment moet overgeven verdwijnt niet. Haar benen trillen. In haar hoofd hoort ze Stijn gillen. Als Johnny hem iets aandoet...

Ze schudt wild met haar hoofd, wat de misselijkheid verergert, maar de kreet van haar zoontje doet verstommen. Ze springt op. 'Ik ga je moeder bellen.'

Hugo kijkt verbaasd naar haar op. 'Hoezo?'

'Ik mis Stijn. Ik wil horen of alles goed met hem is.'

Ze voelt Hugo's ogen in haar rug prikken als ze in haar tas rommelt, op zoek naar haar mobiel. 'Hier', zegt hij, 'neem mijn telefoon. Dan zijn de kosten voor de zaak.'

Susan pakt de BlackBerry aan en ontwijkt de blik van haar man. Ze kan hem nu geen verklaring geven. Voor het eerst sinds ze getrouwd is vraagt ze zich serieus af of ze niet beter vanaf het begin eerlijk had kunnen zijn. Al was het hele huwelijk er dan waarschijnlijk niet gekomen. Hugo wil niets met dat soort praktijken te maken hebben. Zelfs als ze hem een gecensureerde versie van de werkelijkheid had voorgehouden, was hij weggegaan. Drugshandel, liquidaties, het zijn woorden die hij alleen kent uit spannende actiefilms of van het achtuurjournaal.

Susan kan de lijst met telefoonnummers niet vinden en typt uiteindelijk hun eigen nummer maar gewoon in. De telefoon gaat twee keer over en dan klinkt de stem van Katrien: 'Met het huis van de familie Waterberg.'

Ze klinkt normaal, stelt Susan meteen vast. Niet opgefokt of ongerust, maar gewoon zoals ze altijd klinkt. Er kan dus niets met Stijn aan de hand zijn. 'Met Susan', zegt ze. In haar poging om zich zo gewoon mogelijk te gedragen klinkt haar stem ineens een paar octaven hoger. Ze schraapt haar keel.

'Hé, lieverd!' roept Katrien opgewekt. 'Wat leuk dat je belt. Hoe is het daar?'

'Ja, goed. Warm. Hoe is het met Stijn?'

'Prima, hoor. Hij is vandaag naar het kinderdagverblijf geweest, dus hij was vanavond erg moe. Ik heb hem vroeg in bed gelegd en hij was meteen vertrokken.'

'O, gelukkig. En verder ook niets...'

'Nee, niets bijzonders', zegt Katrien, die niet lijkt te merken dat haar schoondochter uit haar normale doen is. 'Hij heeft wel een paar keer naar jullie gevraagd en toen heeft Bert hem op de wereldkaart laten zien waar jullie nu zijn. Dat vond hij reuze interessant, al begrijpt hij het volgens mij niet helemaal. Nu vertelt hij tegen wie het maar wil horen dat papa en mama in Esypt zijn.' Ze lacht. 'Hij kan maar niet onthouden hoe het land heet.'

Susan lacht nep. 'O, wat schattig. Nou, we missen hem wel, hoor.' Terwijl ze praat draaien haar gedachten op volle toeren. Ze moet iets zeggen, een verkapte waarschuwing, een hint, een reden waarom Katrien niet meer met Stijn de deur uit moet gaan. Maar ze kan niets verzinnen.

'Nou, leuk dat je hebt gebeld.' Katrien wil het gesprek afsluiten. Susan opent haar mond om te protesteren, maar er komt niets. 'Ik zal tegen Stijn zeggen dat papa en mama hem ook missen en dat ze snel weer terugkomen.'

'Ja', brengt Susan uit. 'Geef hem een knuffel van ons.'

'Dat beloof ik. Heel veel plezier daar nog, hè. En de groetjes aan Hugo.'

'Ja. Zal ik doen.'

'Daag, Susan.'

Katrien verbreekt de verbinding. Even blijft Susan met de telefoon tegen haar oor staan. Ze bijt op haar lip om haar tranen tegen te houden.

Ze moet zorgen dat ze grip krijgt op wat er in Nederland gebeurt. Ze pijnigt haar hersenen. De laatste keer dat ze Johnny zag, zat hij in de problemen. Hij wilde dat ze ging betalen, maar dat deed ze niet en daarna was hij ineens weg. Ze hoorde nooit meer iets van hem. Ze had moeten weten dat dat niet klopte. Johnny liet je niet zo makkelijk wegkomen, nooit.

Nu kan ze zichzelf wel voor haar kop slaan.

'Hé.' Ze voelt Hugo's arm om haar middel. Hij heeft een snelle douche genomen en ruikt naar zeep en naar het chloor dat hier door het water wordt gemengd. 'Hoe ging het daar?'

Susan haalt diep adem. Met elke seconde die verstrijkt beseft ze meer hoe diep ze in de problemen zit. 'Goed', zegt ze dan. 'Stijn lag al te slapen.'

'Ja, natuurlijk. Hielden mijn ouders het nog een beetje vol?'

Susan knikt. In haar hoofd verschijnt het beeld van haar slapende zoontje. Zijn blonde haartjes onschuldig op het kussen, zijn ogen gesloten in het grootste vertrouwen dat hij veilig is. Veilig bij zijn opa en oma en veilig bij zijn papa en mama die straks weer terugkomen om voor hem te zorgen. Veilig bij papa en mama. Veilig bij mama. Susan wordt overspoeld door een nieuwe golf van misselijkheid.

'Je voelt je nog steeds niet goed, hè?' Hugo heeft zijn hand van haar middel naar haar gezicht verplaatst. Met twee vingers strijkt hij een haarlok van haar klamme voorhoofd. Precies hetzelfde gebaar als Johnny nog geen uur geleden maakte.

Met een ruk draait Susan zich om en rent naar de badkamer. Op twee knieën landt ze voor de wc en schokkend geeft ze over tot er alleen nog maar gal komt.

***

'Ik ga.'

Hij ligt op zijn rug in bed met zijn gezicht naar het raam. Zijn ene hand heeft hij onder zijn hoofd gelegd, in zijn andere houdt hij een sigaret. Marlboro, zijn vaste merk. Hij neemt een trek en blaast langzaam de rook uit in de richting van het licht. Buiten klinkt het belletje van een tram, iemand roept een verwensing, er blaft een hond. De geluiden van de stad. Zij kon ooit niet zonder, nu voelt ze zich benauwd en verlangt ze naar ruimte. De ruimte buiten Amsterdam.

'Ik ga weg', herhaalt ze, hoewel ze zeker weet dat hij haar wel heeft gehoord. Haar blik valt op het blauwe, vierkantje pakje op het nachtkastje. Het condoom dat hij niet heeft gebruikt. Ze weet dat ze zich zorgen zou moeten maken, maar op dit moment is daar geen plaats voor. Ze wil alleen maar weg. Weg van hem, weg van het overspel en de wetenschap dat hij de macht heeft haar leven kapot te maken.

'Ik ga.' Het is de derde keer dat ze het zegt, maar ze staat nog altijd in de kamer met haar jas aan en haar tas in haar hand. Ze durft niet weg te lopen zolang hij niet reageert. Hij laat het hier niet bij zitten. Seks is uitstel, maar ze kent hem lang genoeg om te weten dat hij nooit iets vergeet.

Uiteindelijk begint hij te praten. 'Ik weet je te vinden. Ik weet waar je woont en ik weet waar je bent. Altijd, elke minuut van de dag.'

Hij bluft, ze weet het zeker. Hij heeft de mensen niet meer om dat voor hem te regelen.

'Ik wil het geld binnen twee weken hebben.'

Zij reageert niet. Ze verzet haar voet, een kleine nerveuze beweging die hij meteen opmerkt. Hij draait zijn hoofd om.

Ze houdt vol. 'Je liegt. Mijn vader heeft niets van je geleend. Je kunt niets bewijzen.'

Hij lacht. Een diep, grommend geluid dat uit zijn keel komt. 'Bewijzen. Da's een mooie.'

Ineens springt hij overeind. Hij grijpt een krantenknipsel dat al die tijd naast het bed heeft gelegen en duwt het onder haar neus. 'Ken je deze nog?'

Ze hoeft niet naar de foto te kijken, ze heeft hem zelf vorige week ook in de krant gezien. Dikke Steef. Dood.

'Hij deed een klusje voor me en heeft het verpest. En nu willen de Russen geld zien. Geld dat ik van jou krijg.'

Hij zegt het terloops. Zij staat roerloos midden in de kamer. Haar blik is gefixeerd op een zwarte schimmelvlek op het plafond.

Hij krabt zich op zijn achterhoofd. 'Mij betalen is je beste optie. Anders stuur ik ze persoonlijk naar je door. Een partijtje Russen in je aangeharkte voortuintje.'

'Wie zijn het?' vraagt ze.

Hij lacht boosaardig. 'Denk maar niet dat je slim bent, meisje. Je kunt mijn schuilplaats niet verlinken. Je betaalt mij, of ze komen jou opzoeken. En dan koop je geen betaaltermijn met je benen wijd, neem dat maar van mij aan.'

Ze staat met haar rug tegen de muur. Ze is te lang weg om erachter te komen wie er achter hem aan zitten. Hij is slim genoeg om haar plannetje te doorzien.

'Ik zal je betalen', zegt ze uiteindelijk.

Hij knikt goedkeurend. 'Nu komen we ergens. Coupures van honderd euro, afgeleverd in tien identieke koffertjes, binnen veertien dagen.'

Ze slikt. Het is onmogelijk. Het is godsonmogelijk.

***

8

HET EERSTE LICHT VAN DE DAG HEEFT ALTIJD IETS MAgisch. De nieuwe dag biedt nieuwe kansen, een schone lei om mee te beginnen. Susan ligt op haar rug in bed en staart naar het eerste streepje zonlicht dat voorzichtig door het kleine kiertje tussen de gordijnen een weg naar binnen zoekt. Ze voelt opluchting dat de nacht voorbij is. De nacht die ze doorwaakt heeft doorgebracht, vechtend tegen de beelden uit haar verleden en de demonen in haar hoofd die haar dwongen te kijken naar wat er met Stijn kan gebeuren als ze niet heel snel ingrijpt. Elke keer als ze haar ogen sloot hoorde ze hem gillen en krijsen, elke keer zag ze Johnny's gezicht en zijn grote handen die haar zoontje letterlijk in een wurggreep hielden. En dan deed ze haar ogen maar weer open omdat staren in het duister beter was dan de hersenspinsels in haar hoofd.

Hersenspinsels. Waren het dat maar.

Naast haar draait Hugo zich om. Ze werpt een blik op hem. Het streepje zonlicht valt precies op zijn slapende gezicht. Kon ze het maar met hem delen. Kon ze hem maar vertellen wat er aan de hand is en samen met hem zorgen dat Stijn niets overkomt.

Maar Susan weet dat ze aan Hugo niets heeft. Als hij zou weten dat iemand eropuit is om zijn zoontje kwaad te doen, zou hij direct naar de politie gaan. Maar zo werkt het niet, de politie kan niets voor hen doen. De mensen met wie ze te maken hebben, lachen om de politie en de politie weet het. Ze wagen zich niet in die kringen. Hooguit zullen ze wat loopjongens arresteren en dat met veel misbaar bekendmaken, maar daarmee is het gevaar voor Stijn niet geweken.

Als het mijn kind is, heb ik het recht om hem te zien.

Johnny geeft niets om kinderen en ook niet om Stijn, maar hij weet dat hij met het kind de allersterkste troef in handen heeft om Susan onder druk te zetten. Hij wil het geld terug, dat weet ze wel zeker. Het geld dat ze niet heeft. Hij wil het niet voor zichzelf, hij moet het hebben om de mensen af te betalen van wie de drugs waren die bij zijn mislukte deal verdwenen zijn.

Ze draait zich op haar zij en luistert naar de geluiden van het resort dat langzaam tot leven komt. Het is halfzeven, buiten is personeel in de weer met het klaarzetten van de strandstoelen. Ze praten en lachen met elkaar in rap Arabisch.

Susan voelt zich moe en opgefokt tegelijk. Ze staat op, trekt de witte hotelbadjas aan en maakt de schuifpui open, zachtjes om Hugo niet wakker te maken. Ze gaat op een gietijzeren tuinstoeltje zitten en kijkt uit over het resort. Als ze naar voren leunt en om de hoek kijkt, ziet ze een klein stukje zee. De foto's op internet waren niet overdreven, het zonovergoten resort ligt er prachtig bij. De palmbomen ruisen zachtjes in een licht briesje, de zee varieert gedurende de dag in kleur van diepblauw tot turkoois en de tuin die het resort omringt is inderdaad mooi onderhouden. Maar Susan verlangt alleen nog maar naar het einde van de vakantie. Het is woensdag, er zijn pas drie dagen verstreken.

Als ze naar haar handen kijkt, ziet ze dat die trillen. Haar knieën voelen ook niet al te vast aan, ze heeft een leeg en slap gevoel. Misschien komt het doordat ze gisteravond bijna niets heeft gegeten en dat kleine beetje er daarna ook nog eens uit heeft gekotst. Hugo was ongelooflijk bezorgd, hij wilde meteen naar de apotheek gaan voor allerlei pillen die haar voedselvergiftiging snel zouden oplossen. Gelukkig had ze hem ervan kunnen weerhouden. In plaats daarvan was Susan na een lauwe douche in bed gaan liggen en had ze gedaan alsof ze meteen in slaap was gevallen.

Ze kijkt naar beneden. Over het pad richting zee waar ze gisteravond met Johnny liep loopt nu een heel gezin. Vader en moeder voorop met een tas vol strandspullen, de twee kinderen met een verveeld gezicht daarachter. Familievakantie in Egypte, en niemand heeft het naar z'n zin.

Haar eigen vakantie had zo mooi kunnen zijn. Jarenlang is ze op haar hoede geweest voor figuren uit haar verleden die in Almere, zo dicht bij Amsterdam, elk moment konden opduiken. Zeker in de twee weken nadat ze Johnny opnieuw was tegengekomen. Het ultimatum dat ze had gekregen om te betalen. Maar twee weken gingen voorbij en er gebeurde niets. En uitgerekend hier, meer dan drieduizend kilometer van huis, overkomt haar dit.

Even schiet de gedachte door haar hoofd dat het geen toeval is. Wat als Johnny haar al tijdenlang achtervolgt en nu zijn kans pakt?

Meteen zet ze dat idee weer opzij. Johnny heeft contacten, maar zelfs hij kan niet in drie dagen een baan regelen bij een duikschool en ook nog foto's van zichzelf met leerlingen in een oud boek op de balie plakken, die doen vermoeden dat hij er al tijden werkt. Had ze die foto's maar eerder gezien, en niet pas toen Hugo met Johnny aan kwam lopen. Het moet toeval zijn dat ze Johnny hier tegenkomt en dat is eigenlijk nog het meest frustrerend.

Achter zich hoort ze de schuifpui opengaan. Ze onderdrukt een geërgerde zucht. Hugo kan er niets aan doen, maar ze wil even alleen zijn. Alleen buiten zitten en haar gedachten ordenen, nu ze na die nacht met al die beelden in haar hoofd eindelijk weer helder kan denken.

'Goedemorgen, schat', zegt hij. 'Je bent er al vroeg uit.'

'Ja', antwoordt Susan. Ze kijkt om. Hij staat in de deuropening, slechts gekleed in een zwarte boxershort. Zijn borsthaar zit warrig. Hij knippert een beetje tegen het felle licht. 'Ik kon niet meer slapen', verklaart ze.

'Voel je je alweer wat beter?'

Susan richt haar blik weer op het pad, waar nu een ouder echtpaar in halve looppas probeert om op tijd bij de strandstoelen te zijn. Op tijd om voor zeven uur een handdoek te kunnen neerleggen en op die manier een stoel te claimen die zowel in de schaduw als dicht bij zee staat. Susan heeft gisteren een bord gezien dat het niet is toegestaan een handdoek op een stoel te leggen en vervolgens uren weg te blijven, maar niemand houdt zich daaraan en het hotelpersoneel lijkt het allemaal weinig te interesseren.

'Suus?'

Hugo wacht op antwoord. 'Ja, ik voel me beter', zegt ze. 'Nog wat slapjes, maar dat gaat vast wel weer over als ik heb gegeten.'

Hugo komt achter haar staan en legt zijn handen op haar schouders. Susan schrikt van de aanraking. 'Hé', zegt Hugo liefdevol. 'Je verstijft helemaal.'

'Ik ben verbrand', zegt Susan snel. De ene na de andere leugen rolt haar mond uit. 'Daarom doet het pijn.'

'Echt waar?' Ze voelt dat Hugo zich vooroverbuigt. Hij inspecteert haar schouders. 'Ik zie niets. Je huid is niet rood.'

'Toch voelt het zo.' Susan moet moeite doen om niet kribbig uit de hoek te komen. 'Ik moet me vandaag beter insmeren.'

Hugo laat haar schouders los en gaat naast haar op de andere stoel zitten. Hij rekt zich uit en gaapt uitgebreid. 'Wat een mooie dag om de zee op te gaan,' zegt hij. 'Ik heb echt zin om weer te gaan duiken.'

Met een ruk kijkt Susan opzij. Ze hebben afgesproken een paar keer te gaan duiken, maar moet dat meteen vandaag? Johnny zal Hugo weer gaan uithoren. Hugo zal maar al te graag vertellen over hun huwelijk, over Stijn, over hun huis, hun vrienden, hun familie.

'Wat is er?' vraagt Hugo, die Susans verschrikte blik ziet. 'Wil je niet duiken?'

'Dat is het niet', zegt ze snel. 'Ik hoopte alleen dat we vandaag lekker aan het strand konden liggen. We zijn gisteren toch geweest?'

Hugo kijkt oprecht verbaasd. 'Dat was een kleine duik, om er weer in te komen. Ik heb gisteren al met Johnny besproken dat we vandaag langer en dieper gaan. Het koraal dat we tot nu toe hebben gezien, dat is nog niets.'

Susan voelt paniek opkomen. 'Dat kan toch ook morgen. We komen hier ook om te ontspannen, hoor.'

'Duiken ís ontspannen', werpt Hugo tegen. 'Zo vaak krijgen we niet de kans om dit mooie koraal te zien.'

'Dat koraal loopt niet weg.' Susan weet dat ze overkomt als een zeikwijf, maar ze moet iets verzinnen om Hugo hier te houden. Susan moet er niet aan denken wat er gebeurt als Johnny straks precies weet waar haar schoonouders wonen, waar Stijn naar de crèche gaat, hoe vaak per week zij gaat sporten, met welke vriendinnen ze de stad in gaat. Hugo zal geen seconde doorhebben dat hij wordt uitgehoord.

'Er is nog zoveel moois te vinden onder water', zegt Hugo, duidelijk teleurgesteld over Susans reactie. 'Ik heb gelezen dat op een uurtje varen een gigantisch stuk koraal ligt, met allerlei vissen die je bijna nergens anders ter wereld tegenkomt. Aan het strand liggen kan altijd later nog, toch?'

'Ik voel me gewoon nog niet lekker. Ik wil liever een dagje hier blijven.'

'Net zei je nog dat je je weer goed voelt', zegt Hugo met opgetrokken wenkbrauwen. 'Wat is er toch met je aan de hand, Susan?'

'Niks.' Susan richt haar blik op haar teennagels. De parelmoerlak die ze vorige week heeft aangebracht begint af te bladderen.

'Je hebt gewoon geen zin om te gaan duiken', stelt Hugo vast. Hij raakt niet snel geïrriteerd, maar nu proeft Susan toch wrevel in zijn stem. 'Ik kan ook wel in mijn eentje gaan.'

Dat is zo mogelijk nog een slechtere optie. 'Nee, laat maar', zegt ze. 'We gaan wel met z'n tweeën duiken, als het zo belangrijk voor je is.'

Na die woorden staat ze op en beent naar binnen. Daar is het koel, Hugo heeft blijkbaar de airconditioning aangezet. Susan pakt haar mobiel uit haar tas en checkt haar berichten. Geen gemiste oproepen, geen sms'jes. Dat betekent in elk geval dat het goed gaat met Stijn.

Ze kijkt door de vitrage naar buiten, waar Hugo nog op het balkon zit en voor zich uit staart. Het is lang geleden dat ze ruzie hebben gehad, of zelfs maar irritaties. Ze moet zorgen dat ze weer de leuke echtgenote wordt die ze normaal gesproken is, want als Hugo in de gaten krijgt dat er iets aan de hand is, is ze nog veel verder van huis.

Ze pakt een elastiekje uit de badkamer, bindt haar haren bij elkaar in een staart en loopt weer naar buiten. Als Hugo omkijkt zet ze een grote glimlach op.

***

Zijn woorden dreunden na in haar oren toen ze de deur met een klap achter zich dichttrok. You can run, but you can't hide.

Hij had gelijk. Ze heeft zich nooit echt verborgen, omdat ze nooit heeft gedacht dat hij haar zou zoeken. Ook al had ze hem in de steek gelaten, ze was niet interessant genoeg om achteraan te gaan. Zijn ego zou misschien een haartje gekrenkt zijn, maar niet genoeg om hem in beweging te doen komen.

Twintig kilometer verderop gaan wonen en de naam van haar moeder aannemen kan geen verdwijning worden genoemd. Wist zij veel dat er geld in het spel was.

Maar nu was alles anders. Ze wilde zich verbergen, maar waar moest ze heen? Ze kende hem, ze wist waartoe hij in staat is.

Ze liep door de straat die ze zo goed kende. Het pand op de hoek, waar ze jarenlang binnenliep alsof ze er woonde. Wat eigenlijk ook zo was. Haar vader achter de bar, haar moeder meestal naast hem.

In gedachten flitsten beelden voorbij van de planken die voor het raam werden gespijkerd. Ze kon er bijna niet aan denken zonder tranen in haar ogen te krijgen. Die dichtgetimmerde ramen gingen samen met de witte kist, de bloemen, de paarden die voor de koets liepen.

Ze knipperde met haar ogen. Het was deze straat. Hij hield van deze straat. In deze straat begon zijn tocht naar zijn laatste rustplaats. Vier dagen na de hartaanval.

Ze was er nog drie keer geweest, waarvan één keer met haar moeder.

Maar toen ook die was overleden had ze deze straat juist gemeden als de pest. Ze kon het simpelweg niet meer opbrengen om erheen te gaan, om het vervallen gebouw te zien dat ooit hét café in de buurt was geweest, het café waarin haar vader zijn ziel en zaligheid had gelegd.

Het was nu nog steeds een café, maar een van het bedenkelijke soort. Het had een andere naam en eigenaar, en een ander publiek.

Ze miste haar vader. Ze wilde advies aan hem vragen, en ook vragen waarom hij het had gedaan. Maar hij was dood en ze moest het alleen rooien. Ze wist alleen niet hoe, en hoeveel tijd ze had. Ze was bang dat zij niet de langste adem zou hebben.

Johnny had genoeg om tegen haar gebruiken. Ze was dan wel weggegaan voor het gebeurde, maar als hij de gebeurtenissen verdraaide – en daar was hij goed in – kon hij haar net zo schuldig maken als alle anderen. Dan had ze een leven op haar geweten.

***

9

SUSAN VOELT DE DRUK OP HAAR OREN TOENEMEN. ZE knijpt in haar neus en snuit. In haar linkeroor voelt ze een plop. Ze probeert het nog een keer, maar rechts schiet niet open. Voor haar ziet ze Johnny steeds dieper gaan. Net als gisteren zwemt ze achter hem en Hugo achter haar. Ze ziet haar man voorbijkomen. Hij maakt een vragend gebaar.

Susan zet opnieuw haar vingers op haar neus en Hugo laat merken dat hij het heeft begrepen. Hij wacht geduldig tot haar oor wel open wil springen. Meters verder in de diepte ziet ze ook Johnny stil in het water hangen.

Ineens plopt haar oor open. Ze maakt een oké-gebaar naar Hugo en vervolgt haar route richting Johnny. Links en rechts schieten kleurrijke vissen haar voorbij.

Het is hier prachtig, maar Susan kan er niet van genieten. Ze weet zeker dat ze op een ander moment, onder andere omstandigheden, zichzelf de gelukkigste vrouw op aarde had geprezen dat ze hier mocht duiken. De vissen zijn geweldig, het koraal is adembenemend mooi en de vakantie heeft alles in zich om een romantische liefdestrip te worden.

Hugo reageerde gelukkig verheugd toen ze in tweede instantie zei dat ze niet wist waarom ze zo vervelend had gedaan en dat ze ernaar uitkeek te gaan duiken. Ze wil niet dat hij argwaan krijgt en vragen gaat stellen, want Johnny zal hem met genoegen voorzien van wat antwoorden. Vanavond gaat ze op zoek naar informatie. Er moet een verklaring zijn waarom ze nooit meer iets van hem heeft gehoord nadat hij een ton van haar had geëist. Er gingen twee weken voorbij waarin ze niet naar buiten durfde, een maand waarin ze bij elk geluidje een meter de lucht in schoot. Maar één maand werd twee maanden, twee maanden werden een halfjaar, negen maanden, en zelfs nadat Stijn was geboren hoorde ze niets. Pas na een jaar durfde ze echt te ontspannen. Ze wist dat er iets gebeurd was en ook al wist ze niet wat, ze was maar wat opgelucht dat het gevaar geweken was. Nu wilde ze dat ze meer werk had gemaakt van het uitzoeken van de reden van zijn plotselinge afwezigheid. Dan had ze geweten dat ze hier niet had moeten komen.

Haar gedachten dwalen te veel af, ze moet blijven opletten. Johnny wijst met zijn linkerhand op het koraal, dat nu langzaam in zicht komt.

Susan kijkt er met grote ogen naar. Heel even vergeet ze dat ze hier eigenlijk helemaal niet wil zijn. De tientallen kleurschakeringen, de zacht wuivende planten, de zeesterren in fellere kleuren dan ze ooit heeft gezien – het is allemaal even prachtig. Ze kijkt om en ziet ook Hugo's gezicht stralen.

Johnny zwemt verder langs het koraal en Susan volgt hem. Er zwermen visjes om hem heen. Hij blijft even stil in het water hangen en wijst naar iets wat zich tussen de tentakels van een zeeanemoon bevindt. Susan zwemt nu vlak naast hem en volgt de richting waarin zijn vinger wijst. Ze ziet een oranje visje met witte vlekken, waarbij het lijkt alsof iemand ze met een zwart potlood heeft omgetrokken. De clownvis. Vol bewondering kijkt ze naar het beestje dat niet eens door lijkt te hebben dat er inmiddels drie mensen naar hem staren.

Ze voelt Hugo's hand op haar arm en kijkt om. Hij grimast en tekent een N in het water. Susan fronst en schudt haar hoofd. Dan tekent Hugo ook een E.

Nemo! De lievelingsfilm van Stijn, met een clownvis in de hoofdrol. Meteen is Susan terug in het hier en nu. Ze draait zich om en maakt duidelijk dat ze verder wil zwemmen. Hopelijk kunnen ze deze duik tot een halfuurtje beperken en als ze net zo snel terugvaren als heen betekent dat dat ze over anderhalf uur weer aan land zijn. Misschien kan ze vandaag nog Nadia opsporen, die het begin moet vormen van de zoektocht naar informatie. Ze is de zus van Johnny, ze zal op z'n minst weten waarom hij weg is gegaan. Susan weet dat ze gevaarlijk spel speelt. Als Nadia nog goed contact heeft met Johnny weet hij binnen een uur dat ze zijn gangen nagaat, maar dat risico moet ze nemen.

Johnny stopt weer, deze keer om een stuk bloedkoraal aan te wijzen. Hugo zwemt er dichter naartoe om het beter te kunnen bekijken. Susan werpt er een vluchtige blik op om daarna door te zwemmen.

Ze dwingt zichzelf om sneller te gaan ademen. Als haar lucht op is, moeten ze wel naar boven. Ze zwemt een klein stukje verder, maar moet dan toch weer wachten. Zonder Johnny kan en mag ze niet zo veel. Als ze vooropgaat en zich niet houdt aan de instructie dat zij in het midden moet blijven, is hij straks kwaad. Ze kan hem nu beter niet ergeren.

Door het sneller ademhalen krijgt ze het gek genoeg juist benauwder en dus geeft ze haar poging op. Ze kan niets anders dan doen wachten tot de tijd is verstreken en ze weer naar boven kunnen. Al die tijd blijft er een stemmetje in haar achterhoofd rondzeuren dat zegt dat ze niets doet, terwijl haar zoontje in gevaar verkeert.

Eindelijk komt dan het moment dat Johnny zijn duim opsteekt, waarmee hij voorstelt weer naar de oppervlakte te zwemmen. Susan maakt een oké-gebaar om te laten merken dat ze het heeft begrepen. Hugo doet hetzelfde en langzaamaan begint Johnny aan de weg terug. Susan kijkt boven zich. Het lichte oppervlak komt steeds dichterbij. Ze wil sneller, maar iedere duiker weet hoe gevaarlijk dat is. Decompressieziekte ligt altijd op de loer. Tijdens de PADI-cursus hebben ze het er uitgebreid over gehad. Stikstofverzadiging met bewusteloosheid of zelfs de dood tot gevolg, ook wel caissonziekte genaamd. Susan ziet nog het stuk in het theorieboek voor zich. Destijds had ze er wat nonchalant doorheen gebladerd, tot nog geen twee weken later een van haar medecursisten aan de ziekte overleed. Hij was veel te snel naar boven gezwommen, had de instructeur met een serieus gezicht verteld. Omdat hij niet had geloofd dat dat echt zo gevaarlijk kon zijn. Susan had diezelfde avond het hoofdstuk herlezen en herlezen tot ze alles wist wat ze moest weten over caissonziekte, decompressieziekte of welke naam je er ook aan gaf. Bij elke duik was ze zich ervan bewust, al irriteerde het haar dat ze door die stomme ziekte nog langer onder water moest blijven. Nu ze heeft bepaald wat haar eerste stap is, wil ze aan de slag. Ze moet Johnny de pas afsnijden voor hij verder kan gaan. Ze weet niet eens precies wat haar plan is. Hem chanteren? Misschien. Als ze daarvoor troeven in handen kan krijgen.

Ze zou hoog spel moeten spelen, maar dat doet hij ook. Haar spel moet hoger zijn.

'Zullen we even een stukje door de stad lopen?'

Susan kijkt om. Hugo is een paar meter terug blijven staan en kijkt om zich heen. Met zijn grijze korte broek, groene polo en camera in zijn hand is hij op en top de toerist. Susan heeft hem gelukkig kunnen overhalen zijn blauwe petje af te laten. In plaats daarvan heeft Hugo nu zijn zonnebril in zijn haar gezet, dat warrig zit door het zoute water. Knipperend tegen het licht kijkt hij naar links en rechts. 'We hebben nog nauwelijks iets van Hurghada zelf gezien.'

'Taxi?' Er stopt weer zo'n wit busje voor hun neus. Allebei negeren ze het tot de chauffeur opgeeft en hard toeterend verder rijdt.

'Ik wil eigenlijk wel terug naar het hotel', zegt Susan. Ze moet moeite doen om niet al te dwingend over te komen. Ze is even helemaal klaar met wat Hugo allemaal verzint. Na het duiken stelde hij voor nog wat drinken met Johnny, daarna wilde hij een ijsje gaan eten en nu heeft hij weer bedacht dat hij door Hurghada wil lopen. Het is inmiddels bijna vijf uur, terwijl ze al om half vier van boord zijn gegaan. Susan heeft elke twee minuten ongeduldig op haar horloge gekeken.

'Waarom?' Hugo kijkt links en rechts de straat in. 'Het ziet er hier best leuk uit. Misschien kunnen we wat cadeautjes kopen voor Stijn en mijn ouders. Ik denk dat mijn vader zo'n kleine waterpijp wel leuk vindt, en voor mijn moeder dacht ik aan een mooi horloge. De topmerken zijn hier veel goedkoper, wist je dat?'

'We zijn hier pas een paar dagen', zegt Susan vermoeid. 'Later deze week hebben we nog alle tijd om cadeautjes te kopen. Nu ben ik moe van het duiken en wil ik graag naar het hotel.'

'O. Oké.' Hugo kijkt met een wat spijtige blik om zich heen en zet dan koers in de richting van hun hotel. Als Susan weer naast hem loopt vraagt hij: 'Is er iets met je?'

Susan onderdrukt een zucht. Het laatste waar ze zin in heeft is zo'n gesprek met Hugo.

'Hoezo?' Ze doet haar best om verwonderd te klinken. 'Er is niets.'

'Je doet zo anders. Normaal gesproken vind je het juist leuk om te gaan shoppen, nu wil je alleen maar terug naar het hotel. Ik heb het gevoel dat je eigenlijk niets anders wil dan de hele dag in het hotel zitten.'

'Helemaal niet, maar ik ben gewoon moe van het duiken en ik heb zin om een uurtje uit te rusten voor we gaan eten. Laten we morgen de stad ingaan.'

'Oké.' Hugo knikt, maar Susan ziet dat zijn irritatie niet is verdwenen. Expres gaat hij wat sneller lopen. Ze kan hem niet eens ongelijk geven, ze is ook niet echt leuk gezelschap.

Ze versnelt haar pas zodat ze weer naast hem komt te lopen en pakt zijn hand. 'Sorry dat ik vandaag niet zo gezellig ben. Morgen gaan we de stad in en kopen we cadeautjes voor je ouders en voor Stijn, oké? Dan hebben we ook wat meer tijd. Misschien kunnen we dan ergens gaan lunchen.'

'Oké', herhaalt Hugo. 'Het is al goed. We gaan terug en morgen zien we wel. Misschien kunnen we wel weer gaan duiken.'

Susan houdt haar mond. Dit is het niet het moment om te zeggen dat dat wel het laatste is wat ze wil. Niet dat ze de illusie heeft dat Johnny als hij hen een dag niet ziet vergeten is wat er aan de hand is, maar nog een dag Johnny's gezelschap verdragen kan ze echt niet. De dubbelzinnige opmerkingen waren ook vandaag weer niet van de lucht.

'Het vaderschap is toch wel een van de meest bijzondere dingen die een man kan overkomen', zei hij op de boot, toen Hugo Johnny's vele zogenaamd nonchalante vragen over Stijn beantwoordde.

Susan was een beetje ineengekrompen. Nog even en Hugo moest toch doorkrijgen dat Johnny's opmerkingen meer waren dan willekeurige clichés. Maar Hugo had niets door. In plaats daarvan had hij enthousiast geknikt. 'Dat is een ding dat zeker is. Heb jij kinderen, Johnny?'

Susan had de andere kant op gekeken, ze hoefde Johnny's veelzeggende gezichtsuitdrukking richting haar niet te zien. Waarom moest Hugo zo'n domme vraag stellen? Alsof Johnny twee dagen lang geïnteresseerde vragen zou stellen over hun zoon en dan ineens een paar kinderen van hemzelf uit de hoge hoed zou toveren. 'Nog niet', had

Johnny na een korte stilte gezegd. 'Maar wat niet is, kan nog komen, nietwaar?'

'Moet je kijken.' Hugo knijpt in haar hand en haalt haar uit haar gedachten. Hij wijst op een gigantische opblaaskrokodil. 'Als we hier volgend jaar met Stijn zijn, kopen we zo'n ding voor hem. Dat zal hij prachtig vinden.'

Susan knikt en doet haar best om enthousiast te knikken. 'Dat weet ik wel zeker.'

Vijf minuten later zijn ze bij het hotel. Het is iets na kwart over vijf, ze eten meestal rond een uur of zeven. Met wat geluk kan ze bijna twee uur besteden aan haar zoektocht naar Nadia. Ze moet alleen een goede smoes verzinnen, anders wil Hugo ook mee.

'Zwembad of strand?' vraagt hij als ze door de lobby lopen. 'We hoeven niet naar de kamer, we hebben onze zwemkleding nog aan.'

'Ik wilde eigenlijk even mijn mail checken', zegt Susan zo nonchalant mogelijk. 'Even kijken of er belangrijke berichten tussen zitten. En dan kan ik meteen je moeder een mailtje sturen om te zeggen dat het hier allemaal goed gaat.'

'Je kunt haar toch bellen?' antwoordt Hugo verwonderd. 'Dat lijkt me leuker dan mailen.'

'Ja, maar mijn eigen mail wil ik toch bekijken. Misschien zit er iets belangrijks tussen van het werk. Ik heb beloofd dat ik af en toe naar mijn berichten zou kijken. Dat was de voorwaarde waarop ik zo snel een week vrij kon krijgen.'

'O, dat wist ik niet. Nou ja, dan zie ik je zo wel bij het zwembad. Over een kwartiertje?'

'Ik kijk wel even. Als er niets belangrijks tussen zit ben ik zo klaar, maar misschien duurt het iets langer.'

'Oké, tot zo.' Hugo loopt weg in de richting van het zwembad. Susan gaat achter een van de twee computers tegenover de receptie zitten en logt in met haar kamernummer en achternaam. Krakend komt de computer tot leven. Susan klikt het Internet Explorer-icoontje aan. De computer reageert traag, maar uiteindelijk heeft ze dan toch een venster voor zich. Ze gaat naar Google en typt "Nadia Korshikov" in. Ongeduldig trommelt ze met haar vingers op tafel. Onderin het scherm vult zich een rij met groene blokjes. Na twee minuten is de rij nog niet eens voor de helft gevuld. Susan mist haar eigen glasvezelverbinding, waarmee ze allang een zoekresultaat had gehad.

Susan opent een tweede internetvenster en typt www.hotmail.com in. De computer maakt krassende geluiden.

Het is raar om Nadia's naam in het zoekscherm te zien staan. Een naam die ze al jaren niet meer heeft gezien, maar toch zo vertrouwd klinkt. Ze leerde Nadia kennen toen zij zestien was en Susan elf. Ze kwam wel eens in het café met een clubje, meestal was Johnny daar ook bij. Susan keek op tegen Nadia en het eerste jaar waarin hun vriendschap was gegroeid had ze zich vaak afgevraagd waarom Nadia eigenlijk vriendinnen met haar wilde zijn. Maar Nadia oogde jong voor haar leeftijd en Susan juist volwassen. Eigenlijk had ze zich in de jaren daarna weleens verwonderd over hoe onvolwassen Nadia uit de hoek kon komen. Ze had een aan kinderachtigheid grenzende naïviteit. Pas toen Susans ouders dood waren en ze allebei terechtkwamen bij Johnny's groep, leek Nadia wat meer van de wereld te worden. Maar haar naïviteit had Susan nog vaak verbaasd doen staan. Zo had Nadia het verhaal dat de puppy die door Johnny was vermoord iets verkeerds had gegeten en daaraan was overleden klakkeloos geloofd, net als Johnny's aankondiging dat een van zijn loopjongens een nieuw bestaan ging opbouwen aan zee. Iedereen had begrepen dat Johnny de jongen uit de weg had laten ruimen, behalve Nadia, die had gezegd dat ze ook erg van de zee hield en dat ze hem wilde gaan opzoeken.

Susan weet eigenlijk nog steeds niet of het ondanks of dankzij haar onnozelheid was dat ze Nadia zo graag mocht. Later, toen Nadia meer doorkreeg hoe de wereld in elkaar stak en wat haar broer eigenlijk in zijn schild voerde, had Susan zich vaker van haar vriendin afgekeerd. Nadia wilde meedoen met de grote jongens, ook al schermden die hun zaakjes zo goed af dat niemand, ook Nadia niet, doorhad wat er precies gaande was. Ze was erop gebrand toegelaten te worden tot de besprekingen waarin al die geheime informatie werd gedeeld. Ze was bezig een van de sluwste vossen van de groep te worden, en haar naieve voorkomen was haar belangrijkste wapen.

Zij had geen scrupules gehad. Zij wilde er niet uitstappen op het moment dat Susan had besloten dat het genoeg geweest was. Maar dat betekende niet dat ze het niet jammer vond dat Susan weg wilde. Ze had haar gesmeekt om te blijven, geprobeerd haar over te halen door te zeggen dat zij in Susans plaats naar de afrekening zou gaan. Susan hoefde geen bloed aan haar handen te krijgen, dat zou Nadia voor haar doen. Maar het was niet genoeg. Om bloed aan je handen te hebben hoef je het niet eerst aan te raken.

Het is niet dat Susan ernaar uitkijkt weer contact met Nadia te zoeken. Ze heeft nooit meer iets van zich laten horen en dat is niet voor niets. Nadia is een deur naar het verleden die Susan veel liever dichtlaat, maar ze heeft geen keus.

De computer kraakt harder en is dan ineens stil. Uiteindelijk verschijnt in het andere scherm het resultaat dat Google heeft gevonden voor Johnny's zus. Susan had verwacht dat Nadia moeilijk te vinden zou zijn, maar de eerste hit laat al zien dat Nadia een Facebook-account heeft. Susan klikt de link aan. Ze ziet een foto van een blonde vrouw. Hoewel de vrouw een grote zonnebril draagt, ziet Susan meteen dat het ontegenzeggelijk Nadia is. Ze is eigenlijk maar weinig veranderd in de afgelopen zes jaar. Susan krijgt een raar gevoel als ze naar de foto kijkt.

Ze klikt wat dingen aan op Nadia's Facebookpagina, maar krijgt elke keer een melding dat ze eerst digitaal bevriend moet raken voordat ze iets kan bekijken. Ze kan Nadia wel een bericht sturen.

Susan klikt die optie aan. Ze logt in op haar eigen Facebookaccount en krijgt de mogelijkheid een bericht te typen. Met haar vingers op de toetsen staart ze naar het scherm.

Hoe moet ze beginnen? Beste Nadia? Lieve Nadia?

Uiteindelijk laat ze de aanhef weg en begint te typen. *Ik weet dat ik jarenlang niets van me heb laten horen en dat jij de laatste was die dat verdiende, maar ik heb je hulp nodig. Ik ben in Egypte, Johnny is hier en ik zit in de problemen. Kan ik op je hulp rekenen?*

Ze aarzelt even en sluit dan af met *x Suus.* Ze voelt zich slecht, smerig bijna. Ze meent niets van het 'en dat jij de laatste was die dat verdiende'. Nadia verdiende dat wel degelijk. Ze had er ook uit kunnen stappen toen ze allebei wisten dat er een mensenleven mee gemoeid was. Susan kan zich de blik waarmee Nadia dat gegeven accepteerde nog herinneren. Johnny vertelde wat het plan was, en wie het doelwit. Hij liet hen een foto zien van een doodnormale man, rond de vijfenveertig jaar.

Ze wilde geen leven op haar geweten hebben. En dus keerde ze Johnny en iedereen in zijn kliek de rug toe. Nadia had hetzelfde kunnen doen, maar deed het niet.

Maar nu heeft Susan geen keus. Ze heeft Nadia nodig en dus moet ze haar paaien. Ze leest het bericht nog één keer door en klikt dan op verzenden. Het duurt even, maar dan komt er een scherm tevoorschijn waarop ze ziet dat haar bericht naar Nadia is gestuurd.

Ze googlet Johnny's naam, maar dat levert niet veel bruikbaars op. Wat oude nieuwsberichten waarin wordt vermeld dat hij is gehoord in grootschalige politieonderzoeken, maar altijd als onbeduidend type. Daar was hij altijd goed in, uit de gevarenzone blijven en anderen voor zijn smerige zaakjes laten opdraaien.

Ze gaat terug naar Google en typt 'Johnny Korshikov Russische maffia' in. Misschien levert het iets op, al is de kans klein dat ze de oplossing voor haar probleem bij elkaar kan googlen. Een beetje onderuitgezakt op de oncomfortabele stoel wacht ze tot de zoekopdracht is uitgevoerd.

'Hé, wat ben je aan het doen?'

Als door een wesp gestoken schiet Susan naar voren. Ze grabbelt naar de muis en klikt snel het internetvenster weg. Dan draait ze zich half om.

Hugo staat achter haar in zijn zwembroek. Hij heeft een handdoek om zijn schouders. 'Wat ben je aan het doen?' herhaalt hij zijn vraag.

'Niets', beweert Susan. Ze knippert met haar ogen. 'Mijn mail bekijken.'

Gelukkig heeft ze door Google weg te klikken Hotmail tevoorschijn gehaald. Ze ziet Hugo's blik naar haar scherm gaan. Hij heeft heus wel gezien dat ze snel iets wegklikte en hij aarzelt of hij erover moet beginnen.

'Ik wilde even zeggen dat ik toch op het strand ga liggen', zegt hij uiteindelijk. Susan merkt nu pas dat ze haar adem heeft ingehouden. Langzaam laat ze de lucht ontsnappen. 'Oké. Ik kom eraan.'

'Heb je veel mail?' vraagt Hugo met een knikje richting het scherm.

'Nee, valt wel mee', antwoordt ze snel. 'Sterker nog, ik ben al klaar. Ik loop met je mee.'

'Je hebt nog niet eens ingelogd.'

'Jawel.' Susan sluit snel Internet Explorer af. Een computerexpert als Hugo ziet als hij dichterbij zou komen meteen dat het een inlogscherm is. 'Ik heb juist uitgelogd', beweert ze, 'omdat ik klaar ben. Waar gaan we nou heen? Het strand, zei je?'

Ze krijgt weer zo'n onderzoekende blik van Hugo, die ze gisteren en vandaag al een paar keer eerder heeft gezien. Hij vertrouwt het niet, zegt die blik, maar hij houdt zijn mond. 'Gelukkig maar', zegt Hugo, 'dat er geen problemen op je werk zijn.'

Susan vraagt de receptionist om de twintig minuten internet op de kamerrekening te zetten en loopt snel achter Hugo aan de lobby uit. Nu ze de eerste stap heeft gezet in haar tegenaanval richting Johnny voelt ze zich iets lichter.

10

KATRIEN WATERBERG IS HET SOORT VROUW DAT NIET IN staat is te verbergen wat er in haar omgaat. Zodra Susan de stem van haar schoonmoeder hoort weet ze dat er iets heel erg mis is. 'Is het Stijn?' vraagt ze met opkomende paniek in haar stem.

'Nee!' Katriens stem klinkt scherp en gejaagd. 'Of ja. Maar het gaat nu weer goed met hem. Het is alleen... Vanmiddag...'

'Wat, vanmiddag?' Susan heeft het gevoel dat haar keel wordt dichtgeknepen. 'Wat is er gebeurd?'

Dat laatste schreeuwt ze bijna. Ze dempt haar stem als ze ziet dat andere gasten naar haar kijken. 'Wat is er gebeurd?' herhaalt ze zachter.

De schrik zit er duidelijk goed in bij Katrien. Ze heeft moeite uit haar woorden te komen. 'Bert zegt dat ik jullie niet zo bang moet maken, want uiteindelijk is er niets gebeurd. Ik bedoel... Het is allemaal goed gekomen, natuurlijk, anders had ik je al veel eerder gebeld. Ik heb getwijfeld of ik je vanmiddag zou bellen, maar Bert zei... Nou ja, we dachten dat we jullie dan helemaal schrik zouden aanjagen.'

'Wat is er in vredesnaam gebeurd?' Weer ziet Susan blikken op zich gericht. Ze staat bij de ingang van het paadje naar hun kamer en wacht op Hugo, die naar de kamer is om naar het toilet te gaan en daarna terugkomt omdat hij graag een strandwandeling wil maken. Voor zover dat mogelijk is in de kleine baai waar hun hotel aan ligt. Van Susan hoeft de wandeling niet zo, ze gaat liever naar de lobby om haar Facebookberichten te bekijken, maar ze wil Hugo niet nog argwanender maken en heeft daarom ingestemd. Om de tijd te doden heeft ze Katrien gebeld. Inmiddels staat Susan met zweet op haar voorhoofd te bellen en dat komt niet doordat de temperatuur ook na zonsondergang niet onder de 24 graden daalt.

'Oké, rustig maar', zegt Katrien, die zelf allesbehalve rustig is. 'Stijn is vanmiddag in het park weg geweest.'

Susan hapt naar adem. 'Weg geweest? Hoe bedoel je?'

'Het ene moment was hij er nog, het volgende moment was hij verdwenen. We hebben een halfuur naar hem gezocht en...'

'Een halfuur?' Het begint Susan te duizelen. Ze zoekt steun bij een laag muurtje en laat zich erop zakken. Met haar hand onder haar hoofd blijft ze even zitten tot het duizelige gevoel wegtrekt en ze weer helder kan denken.

'Hij is ongedeerd, hoor', zegt Katrien, die probeert Susan gerust te stellen, maar zelf zo gestresst als wat is. 'We hebben hem gewoon weer teruggevonden.'

Met een tong die aanvoelt als schuurpapier likt Susan aan haar lippen.

Ze herkent haar eigen stemgeluid bijna niet als ze zegt: 'Vertel me precies wat er is gebeurd. Elke minuut, elk detail wil ik weten.'

'Doe maar rustig, lieverd', zegt Katrien. 'Hij is weer teruggekomen.'

'Ik doe verdomme niet rustig!' schreeuwt Susan. Ze hijgt van opwinding, haar hart hamert tegen de binnenkant van haar ribben. 'Je moet me nu vertellen wat er is gebeurd.'

Katrien maant Susan rustig te blijven, maar klinkt zelf gejaagd. 'Bert en ik waren met hem in het park. Stijn zat in de buggy, maar wilde zelf lopen dus hebben we hem eruit gelaten. In het speeltuintje herkende iemand hem. Die man zei dat hij een vader van de crèche was en vroeg wie wij waren. Dus toen zei ik dat wij zijn opa en oma zijn.'

'Hoe zag hij eruit?' onderbreekt Susan haar. 'Omschrijf hem precies.'

'Tja... Normaal eigenlijk. Niet echt groot, niet echt klein, blauwe ogen, kaal hoofd en een sikje.'

Razendsnel gaat Susan in gedachten de vaders van de crèche langs. Ze kent ze niet allemaal, maar de degenen die ze zich voor de geest kan halen voldoen niet aan de omschrijving.

'Ken je hem?' vraagt Katrien hoopvol.

'Misschien', zegt Susan. 'Had hij een kind bij zich?'

'Ja, dat was wel raar. Hij wees naar een kind en zei dat het van hem was, maar toen Stijn was verdwenen ging dat kind met een andere vader mee naar huis.'

'Dan was het zijn kind dus niet', zegt Susan. Ze moet concluderen wat ze eigenlijk al weet: Johnny heeft mensen op Stijn af gestuurd.

'We zaten even te praten en toen ineens was Stijn niet meer in de zandbak', gaat Katrien verder. 'Bert en ik hebben allebei niets gezien. Het ging zo snel. Het ene moment zat hij er nog, het volgende moment was hij verdwenen. Toen zijn we hem meteen gaan zoeken en heb ik niet meer op die man gelet. Tegen de tijd dat Stijn terug was, was die man allang weg.'

Susan slaat haar hand voor haar gezicht en wrijft over haar voorhoofd. Ze zit veel dieper in de problemen dan ze tot vandaag had gedacht. Nerveus kijkt ze naar de ingang van het kamercomplex. Hugo is gelukkig nog niet in zicht. Ze heeft geen idee wat ze hem zo meteen moet vertellen.

'Waar hebben jullie Stijn dan gezocht? Zo groot is dat park niet', zegt Susan. 'En zo ver weg kon hij niet zijn.'

'Dat zei ik ook de hele tijd tegen Bert, maar toch hebben we een halfuur naar hem gezocht. Uiteindelijk vonden we hem niet zo ver bij de speeltuin vandaan. Hij liep rustig naar ons toe. Hij leek helemaal niet bang.'

Het begint Susan te duizelen. Ze had veel liever gehoord dat haar kind compleet overstuur aan was komen rennen. Als hij zo rustig bleef, dan betekende dat dat hij de mensen die hem hadden meegenomen helemaal vertrouwde. En dat betekende weer dat ze konden doen en laten wat ze wilden. De volgende keer konden ze hem wel weer meenemen en dan...

'Ik vroeg hem wat hij had gedaan', gaat Katrien verder. 'Hij zei dat hij met de hond van die meneer had gespeeld. Welke meneer, dat wist hij niet meer. En hij zei iets over tanden, maar ik weet niet wat hij daarmee bedoelt. Bert vindt dat we naar de politie moeten gaan. Straks hebben ze hem nog gebruikt voor kinderporno.'

'Nee!' roept Susan paniekerig. Het is eruit voor ze er erg in heeft. 'Ga maar niet naar de politie', zegt ze dan, rustiger. 'Het lijkt me beter voor Stijn om het te laten rusten. Hij heeft blijkbaar nauwelijks doorgehad wat er is gebeurd en als de politie hem vragen gaat stellen wordt hij alleen maar bang.'

Ze heeft heus wel gehoord dat Katrien iets zei over tanden, en is er expres niet op ingegaan. Als een politieagent doorvraagt zal hij er snel genoeg achterkomen dat de mannen die Stijn hebben meegenomen op zoek waren naar DNA-materiaal.

'Weet je het zeker?' vraagt Katrien zenuwachtig. 'Straks is er een of andere bende actief en is Stijn op het nippertje uit hun handen ontsnapt. Als we geen aangifte doen wordt die bende ook niet gestopt en wie weet hoe het dan de volgende keer bij een ander kindje afloopt!'

Hoewel het zweet in straaltjes over haar rug loopt en ze het gevoel heeft dat ze langzaam stikt van angst, antwoordt Susan zo rustig mogelijk: 'Dat lijkt me sterk. Ik denk eerder dat Stijn echt even met de hond van die mensen heeft gespeeld. Hij is dol op honden. Hugo en ik hebben al vaak genoeg tegen elkaar gezegd dat we eigenlijk een hond zouden moeten nemen, omdat Stijn die beesten zo leuk vindt.' Ze hoopt dat Katrien die informatie nooit bij haar zoon gaat checken. 'Hij is natuurlijk achter die mensen aangelopen en zij hebben dat pas later gemerkt en daardoor leek het alsof Stijn weg was, maar waarschijnlijk stond hij net even om de bocht.'

'Maar hij zegt dat ze aan zijn tanden hebben gezeten!' werpt Katrien tegen. 'Dat verzint hij toch niet.'

'Ik denk dat hij de tanden van de hond bedoelt. Daar stond laatst iets over in een voorleesboekje en sindsdien vindt hij dat erg interessant.'

'O. Oké.' Katrien vertrouwt de hele situatie duidelijk nog niet zo, maar lijkt zich erbij neer te leggen. 'Nou, de volgende keer in het park weet ik het wel. Dan blijf ik naast hem staan tot hij weer veilig in zijn buggy zit en laat ik me niet meer afleiden door anderen.'

'Dat lijkt me een goed idee', zegt Susan. Ze ziet Hugo aankomen en wil het gesprek beëindigen, voor Katrien haar zoon wil spreken om het hele verhaal nogmaals uit de doeken te doen. Ze weet zeker dat Hugo in alle staten zal zijn en erop zal staan dat zijn ouders vanavond nog naar de politie gaan.

'Wij gaan even een stukje lopen', zegt Susan. 'Ik bel morgen wel weer.'

'Oké, lieverd.' Katrien klinkt wat verwonderd over Susans plotselinge achteloze manier van doen. Alsof het niets is dat haar zoontje weg is geweest. Maar dan wenst ze haar schoondochter toch veel plezier en hangt op. Susan kent haar schoonmoeder echter langer dan vandaag. Vroeg of laat zal ze de hele situatie met Hugo bespreken, en dus moet Susan haar voor zijn.

'Kom je?' vraagt Hugo. Hij biedt haar galant zijn arm aan en Susan haakt de hare erdoor. Ze zetten koers richting het strand. 'Met wie was je aan het bellen?'

'Je moeder.'

Hugo werpt een blik opzij. 'Is er iets? Je lijkt een beetje uit je doen.'

'Nee, niks. Je moeder maakte zich zorgen omdat ze Stijn vanmiddag in het park even niet kon vinden, maar er bleek uiteindelijk niets aan de hand te zijn. Hij was achter mensen met een hond aan gelopen. Hij heeft de laatste tijd grote interesse voor honden.'

'O ja?'

'Ja, heb je dat niet gemerkt? Hij vindt honden ineens ontzettend leuk. En blijkbaar zag hij in het park een hond die hem wel aanstond. Je moeder stond met iemand te praten en toen ze weer naar de zandbak keek was Stijn ineens verdwenen. Volgens mij heeft ze zich enorm druk gemaakt, maar stelde het uiteindelijk niet zo veel voor.'

'O, wat vervelend', zegt Hugo. 'Ik zal haar wel even bellen om haar gerust te stellen.'

'Doe dat nou maar niet.' Susan richt haar blik op het pad voor zich, zodat Hugo haar groeiende paniek niet kan zien. 'We kunnen het beter laten rusten. Anders rakel je het elke keer op bij je moeder en maakt ze er veel meer van dan het is. Je weet toch hoe ze in elkaar zit.'

'Hm, oké', zegt Hugo, half overtuigd. 'Gaat verder alles goed met Stijn?'

'Ja.'

Ze lopen door in de richting van het strand en nemen dan het paadje naar beneden, waar Susan ook met Johnny heeft gelopen. Susan schopt haar slippers uit en houdt ze in haar hand, terwijl ze over het zachte zand lopen. Haar gedachten glijden af naar Johnny. Het is hem menens, zo veel is haar wel duidelijk. Even speelt ze met het idee om naar hem toe te gaan en te eisen dat hij stopt met deze praktijken, maar ze kan zijn spottende blik nu al voor zich zien. Hij heeft geen enkele reden om aan haar verzoek gehoor te geven. Susans angst zal hem alleen maar amuseren. Confrontatie is de enige manier.

11

DE LOBBY IS UITGESTORVEN EN HET GEFLIPFLOP VAN Susans teenslippers weerkaatst tegen de muren in de holle ruimte. Achter de receptie is de nachtportier ingedommeld. Hij merkt het niet eens als Susan achter de computer gaat zitten en het apparaat met een tik op de spatiebalk tot leven wekt. Ze kijkt op het klokje op de taakbalk. 4:06 uur.

Ongeduldig wacht Susan tot internet is opgestart. Dan gaat ze naar Facebook en logt in op haar account. Met een trillende vinger klikt ze 'berichten' aan. Als Nadia niet reageert weet ze niet hoe ze haar zoektocht moet beginnen. Bij de anderen hoeft ze niet aan te kloppen. Die hebben haar uit hun geheugens gewist en zullen niet klaarstaan om haar te helpen.

Susan slaakt een zucht van verlichting als ze ziet dat ze een bericht terug heeft gekregen van Nadia. In elk geval is het account nog actief. Het is een kort bericht, slechts een paar zinnen.

Niet zo slim om naar Egypte te gaan, Johnny zit daar al ruim drie jaar. Die klootzak verdient een lesje. Ik zal je helpen.

Susan leest de zinnen nog een keer, en dan nogmaals. Johnny zit al ruim drie jaar in Egypte. Al zijn dreigementen bleken loos. Hij is vrijwel meteen nadat ze bij hem was geweest weggegaan.

Nog eens leest Susan het bericht van Nadia. Die klootzak verdient een lesje. De bewondering van Nadia voor haar grote broer is verdwenen, ze heeft een appeltje met hem te schillen. Beter had Susan het niet kunnen treffen. Ze weet niet wat het appeltje is en het kan haar ook niet schelen.

Ze aarzelt even en begint dan een bericht terug te typen.

Hij wil informatie over mijn zoon. Hij denkt dat het zijn kind is. Zoon is in Nederland, bij opa en oma. Ik wil dat Johnny hem met rust laat, maar hij wil een DNA-test. Ik heb informatie nodig. Waarom zit Johnny hier? Voor wie is hij weggegaan? Ik moet iets hebben om hem te stoppen.

Ze drukt op verzenden. Daarna gaat ze naar Hotmail en opent haar Postvak In. Er zijn zestien nieuwe berichten, geen van alle belangrijk. Haar baas mailt om te vragen waar een bepaalde jaarrekening ligt, Susan antwoordt dat ze die vorige week op zijn bureau heeft gelegd. Een vriendin uit Almere stuurt een uitnodiging voor een kinderverjaardag over drie weken. Het kind wordt twee en er moet een heel feest op poten worden gezet. Susan laat het bericht onbeantwoord. Didi heeft een berichtje gestuurd dat zij en Leo toch niet dat weekend in oktober kunnen. Susan sluit het mailtje zonder het helemaal uit te lezen. Ze surft naar Nu.nl en werpt een blik op het nieuws in Nederland, maar ze neemt nauwelijks iets op. Er staat iets over hoge temperaturen en ouderen die daar last van hebben. Met nietsziende ogen klikt Susan het bericht aan.

'*Roomnumber?*'

Ze schiet van schrik overeind. De mannenstem hoort toe aan de nachtportier, die blijkbaar wakker is geworden.

'*Two-one-seven*', stamelt Susan.

De Egyptenaar knikt en verdwijnt weer achter de receptie. Susan hoopt dat hij niet op de rekening zet hoe laat ze van de computer gebruik heeft gemaakt.

Het is inmiddels bijna half vijf, ze moet terug naar de kamer. Als Hugo wakker wordt en ze is er niet, moet ze weer zoveel uitleggen.

Ze checkt nog één keer haar Facebookberichten en wil eigenlijk al afsluiten als ze ziet dat Nadia iets heeft teruggestuurd. Die leeft blijkbaar nog altijd 's nachts.

Morgen stuur ik je meer info.

Dat is het enige. Susan klikt gefrustreerd het bericht weg. Morgen, is dat over een paar uur of nog een heel etmaal? En zou Nadia begrijpen dat het wel informatie moet zijn waar Susan Johnny mee kan chanteren? Ze moet niet alleen de naam hebben van de persoon, of personen, voor wie Johnny op de vlucht is, ze moet hen ook kunnen bereiken.

Rustig, maant ze zichzelf in gedachten. Nadia zal haar heus wel helpen. Haar vriendin is geen lieverdje, maar wel iemand met principes. Een van die principes is dat je kinderen met rust laat.

Susan overweegt om internet opnieuw op te starten en een bericht terug te sturen met meer informatie over Stijn. Misschien gaat Nadia dan sneller werken. Misschien dat de foto van Stijn woede in haar opwekt die maakt dat ze vandaag nog haar broer een hak wil zetten. Maar ze laat het idee weer los. Ze heeft niet eens een foto van Stijn die ze kan sturen.

Susan sluit de computer af en loopt weg. Het complex is verlaten. Het enige geluid komt van de eerste vogels die voorzichtig hun stem laten horen. In de verte gloort het daglicht. Susan loopt naar de hotelkamer, gaat zo zachtjes mogelijk naar binnen en trekt haar zomerjurkje uit. Ze hangt het over een stoel. Daarna laat ze zich onder de lakens glijden en sluit haar ogen. Hugo mompelt iets in zijn slaap.

***

Als ze had geweten dat het doel was dat er iemand zou sterven zodat zij de diamanten buit konden maken, was ze er veel eerder mee gestopt. Een slap excuus, dat vond ze zelf ook. Ze suste haar geweten met de gedachte dat ze er inderdaad uit was gestapt toen ze had ontdekt dat zijn dood onontkoombaar was. Maar ze kon zichzelf nog zoveel wijsmaken, ze wist heus wel dat ze te ver was meegegaan om nog onschuldig te zijn. Ook zij was niet bestand geweest tegen het grote geld dat op haar wachtte. Ook zij was ten prooi gevallen aan de hebzucht.

Het had allemaal zo makkelijk geleken. Een afgelegen industrieterrein, een roof, een kogel. Hij was niemand, een boodschapper, een chauffeur. Het was een buitenkans dat ze hem op het spoor waren gekomen en dat ze konden inbreken op zijn communicatiekanalen. En een nog grotere buitenkans dat de buit ettelijke miljoenen waard bleek te zijn. Maar daarvoor moesten wel de sporen worden gewist.

Ze huiverde nog als ze aan die term dacht. De sporen worden gewist. Een moord, betekende dat. Daar was ze pas laat achtergekomen. Ze moest toegeven dat ze niet meteen weg had willen gaan. Maar ze veranderde van gedachten. Misschien kwam het doordat ze een foto zag van het doelwit en hij haar aan haar vader deed denken. Misschien was hij iemands vader. Iemand die net als zij zonder papa verder zou moeten. Die gedachte kon ze niet verdragen. Ze wist dat zijn lot al beklonken was, of ze nou bleef of niet. Maar toch vertrok ze en ze liet nooit meer iets van zich horen. Dat ze niet kon vluchten voor haar verleden, had ze nooit beseft. Een kapitale fout.

***

12

BIJ HET KINDERDAGVERBLIJF REAGEREN ZE HEEL MEELEvend. 'Wat vervelend dat hij ziek is', zegt Chantal, die de telefoon opneemt. 'En helemaal nu jullie er zelf niet zijn.'

'Ja', beaamt Susan, 'dat is inderdaad heel vervelend. Hij heeft het flink te pakken. Deze week zal hij in elk geval niet meer komen.'

Als ze de crèche voor deze week afzegt, wordt Stijn pas dinsdag weer verwacht. Dan kan ze hem zelf weer brengen en met eigen ogen zien of er geen handlangers van Johnny in de buurt zijn die het op haar kind hebben voorzien.

'Oké, ik schrijf het op. Succes ermee!' Chantal hangt op.

Susan belt snel naar Katrien. Het is tien voor half acht, ze weet dat haar schoonmoeder Stijn pas rond kwart voor negen wegbrengt.

'De crèche belde net', zegt Susan als ze Katrien aan de telefoon heeft. 'Er is een zeldzame bacterie gevonden in het luchtzuiveringssyteem. Ze zijn de rest van de week gesloten.'

'Huh? Wat voor bacterie is dat dan?'

'Ik weet het niet precies. Een zeldzame bacterie waarvan ze eerst de bron moeten lokaliseren voor ze hem uit het systeem kunnen krijgen. Pas maandag gaan ze weer open.'

'Jeetje', zegt Katrien geschokt. 'Moet ik niet even met Stijn langs de dokter? Straks is die bacterie schadelijk.'

'Nee, de vestigingsmanager zei dat de bacterie niet schadelijk is voor de kinderen', verzint Susan snel, 'maar dat die wel moet worden verwijderd en dat ze het luchtzuiveringssysteem niet kunnen openmaken als er kinderen zijn. Maar je hoeft alleen naar de dokter als Stijn hoge koorts krijgt en eh...' Ze denkt snel na. 'En een bronchitisachtige hoest die langer dan drie dagen duurt', zegt ze dan. De kans dat Stijn deze week precies die klachten krijgt is hopelijk verwaarloosbaar.

'Aha, dan zal ik hem extra goed in de gaten houden', zegt Katrien. 'En dat geeft ons vandaag de gelegenheid om naar de kinderboerderij te gaan.'

Susan schrikt. Ze vindt dat helemaal geen goed idee, maar ze kan geen goede reden bedenken om Katrien te overtuigen thuis te blijven. 'Stijn vindt die kinderboerderij steeds minder leuk', zegt ze uiteindelijk, maar ze beseft dat haar schoonmoeder onlangs nog met Stijn naar de geitjes is geweest en dat hij dat juist geweldig vond.

'Denk je?' vraagt Katrien dan ook. 'De vorige keer leek hij zich prima te vermaken. We gaan gewoon, dan kijk ik wel of hij het leuk vindt.'

Susan gaat er verder niet tegenin. Ze wil geen argwaan wekken en dat Stijn niet naar de crèche gaat is al heel wat. Hopelijk houdt Katrien hem na wat er gebeurd is in het park goed in de gaten.

Als ze de verbinding heeft verbroken schuift Susan de deur naar de kamer weer open en stapt naar binnen. Hugo staat onder de douche. Sinds ze Stijn hebben zijn ze gewend om vroeg op te staan en dus worden ze ook als hun zoon niet in de buurt is altijd bijtijds wakker.

In de badkamer wordt de douche uitgezet en even later loopt Hugo naakt de kamer in. Hij wrijft zijn haar droog met een handdoek. 'Hoorde ik je nou praten?'

Susan aarzelt even. 'Ja', zegt ze dan. 'De crèche belde dat ze dicht zijn, dus heb ik je moeder gebeld.'

Ze moet het hem wel vertellen. Anders hoort hij het ongetwijfeld van Katrien.

Hugo trekt een gezicht. 'Nu kan het wel, maar wat als we gewoon moeten werken? Laatst waren ze ook al dicht in verband met een studiedag en de maand ervoor was de oud-directrice overleden en waren ze met z'n allen naar de begrafenis. Ik ga er toch eens iets van zeggen als we weer terug zijn. We regelen kinderopvang omdat we zelf moeten werken, dat begrijpen ze toch wel?'

'Doe nou maar rustig', zegt Susan sussend. 'Dit is overmacht. Er is iets met het luchtfiltersysteem of zo. Ik wil niet dat je stennis gaat schoppen, want dat straalt dan toch af op Stijn.'

Hugo mort nog wat, maar het onderwerp heeft duidelijk zijn interesse niet meer. Hij komt op Susan af en kust haar nek. 'Nog één dag', zegt hij. 'En dan zijn we precies vijf jaar getrouwd.'

Susan weet al wat hij wil, maar daar staat haar hoofd echt niet naar. 'Ja', antwoordt ze ontwijkend. 'Wat wil je morgen gaan doen? Uit eten?'

'Hmm?' Hugo heeft zijn aandachtsgebied van haar nek naar haar borst verplaatst. Hij schuift haar shirtje opzij en zoent haar zacht.

Susan doet een stap naar achteren. 'Hugo, niet nu. We zouden gaan ontbijten, toch?'

Hugo kijkt verbaasd op. 'Het ontbijtbuffet is tot half elf. We hoeven toch niet te haasten. We hebben vandaag nog helemaal geen plannen.'

'We zouden gaan shoppen.'

'Hoe laat denk je dat de winkels opengaan?' Hugo heeft zijn hand van haar ene naar haar andere borst verplaatst en probeert nu met zijn andere hand haar beha open te maken. Hij is nooit erg handig geweest met de sluiting en ook nu staat hij eraan te morrelen.

Susan zet een stap naar achteren. 'Ik heb geen zin, Hugo', zegt ze. 'Vanavond, oké?'

Hugo kijkt nu ronduit verbijsterd. 'Wat is er met jou aan de hand?' vraagt hij. 'Je kijkt naar me alsof ik je wil verkrachten. Ik wil gewoon vrijen met mijn vrouw, is dat nou zo raar?'

'Nee, dat is niet raar', zegt Susan met een zucht. Ze heeft echt geen puf voor deze discussie. 'Maar mijn hoofd staat er gewoon niet naar.'

'O, je hoofd staat er niet naar', herhaalt Hugo geërgerd. 'Je bent op vakantie met je man, voor het eerst sinds drie jaar een week zonder kind, en je hoofd staat niet naar seks. Nee, natuurlijk niet, logisch.' Het sarcasme druipt van zijn stem. 'Wat is er aan de hand, Susan?'

'Niks.' Susan begint er spijt van te krijgen dat ze niet gewoon heeft toegegeven. Ze had verwacht dat Hugo zich makkelijker zou laten afschepen, maar hij maakt er een hele toestand van.

'Je doet sowieso raar.' Hugo heeft een boxershort aangetrokken en is op de rand van het bed gaan zitten. 'Je doet afstandelijk. Heeft het iets met die Johnny te maken?'

Susan kijkt hem verschrikt aan. Te laat beseft ze dat ze anders had moeten reageren.

Hugo knijpt zijn ogen samen. Hij priemt met zijn vinger in haar richting. 'Zie je wel, ik wist het. Ik wist het vanaf het allereerste moment dat je hem zag. Hij is niet zomaar je buurjongetje van vroeger.'

'Dat is hij wel', roept Susan. 'Het heeft niets met Johnny te maken. Ik heb gewoon geen zin om te vrijen, *so what*?'

Hugo schudt heftig met zijn hoofd. Hij is inmiddels opgesprongen en ijsbeert door de kamer. 'Ik geloof je niet. Ik heb mijn ogen niet in mijn zak zitten, hoor. Er speelt meer tussen jou en Johnny. Is dat waar je vannacht was?'

Shit, hij heeft dus wel gemerkt dat ze weg was. Susan schudt haar hoofd. 'Ik kon gewoon niet slapen en ben buiten een rondje gaan lopen.'

'O ja?' Hugo trekt zijn wenkbrauwen op. 'Toen ik je er vanochtend naar vroeg zei je anders dat je hartstikke lekker geslapen had. Beetje vreemd, vind je niet?'

Susan sluit haar ogen en haalt diep adem. Daarna kijkt ze haar man aan. 'Ik wilde je niet ongerust maken', verdedigt ze zich. 'Het enige wat ik vannacht heb gedaan is buiten een rondje lopen.'

'Thuis slaap je altijd prima en sinds we hier zijn doe je geen oog dicht', zegt Hugo. Hij schudt zijn hoofd. 'Dat is raar. Ik weet zeker dat er meer speelt tussen jou en die Johnny. De manier waarop jullie naar elkaar kijken...'

'Hugo, stop!' roept Susan fel. 'Je zit allemaal dingen te verzinnen die niet waar zijn. Er is niets tussen mij en Johnny, nooit geweest ook. Houd op mij daarvan te beschuldigen, alleen maar omdat ik heel even geen zin heb in seks!'

Hugo staat nu vlak voor haar en pakt haar schouders beet. 'Mij neem je niet de maling. Ik zie heel goed dat er iets met je is gebeurd sinds je Johnny hebt ontmoet. En dat bevalt me helemaal niets.'

Na die woorden schiet hij in een spijkerbroek en shirt en beent de kamer uit. De deur knalt hij achter zich dicht.

Susan gaat op het bed zitten met haar hoofd in haar handen. Ze zucht diep en knippert opkomende tranen weg. Ineens voelt ze zich heel erg alleen. Ze wil Hugo vertellen wat er aan de hand is, hem vragen wat ze nu moet doen. Samen zorgen dat Stijn veilig is. Maar ze kan hem niet in vertrouwen nemen. Dan heeft ze veel te veel uit te leggen.

Ze ziet hem al aan het tafeltje bij het raam zitten waar ze tot nu toe elke dag hebben ontbeten. Susan baant zich een weg door de eetzaal naar hem toe. Een paar keer wordt de weg haar versperd door schaars geklede strandbezoekers met grote borden eten, maar uiteindelijk staat ze dan bij de tafel. Hugo doet alsof hij haar niet ziet. Hij leest *De Telegraaf,* die hij blijkbaar ergens op de kop heeft getikt. Het is de krant van gisteren, ziet Susan.

'Hugo', zegt ze op overredende toon. 'Kunnen we alsjeblieft even praten?'

Hij doet alsof hij haar niet hoort en leest stug verder.

Susan gaat tegenover hem zitten. Hij heeft nog niets gepakt van het buffet.

'Kunnen we praten?' herhaalt ze haar vraag. 'Het heeft weinig zin om hier stommetje te zitten spelen, vind je ook niet?'

Langzaam vouwt hij de krant op en legt die aan de kant. 'Waar wil je over praten?'

Susan kent dit trucje van hem. Hij heeft allang besloten dat hij straks gaat toegeven, maar maakt het haar nog even moeilijk. Ze heeft hier een hekel aan, maar weet dat ze maar beter kan meespelen om er het snelst vanaf te zijn.

'Ik vind het niet leuk dat je me beschuldigt van een affaire', zegt ze zacht. De mensen aan de tafel achter hen praten Nederlands, heeft ze net gehoord. 'Het is onzin. Ik heb nooit iets gehad met Johnny en ik heb ook nu niets met hem.'

Het liegen gaat haar tegenwoordig veel te gemakkelijk af.

'Hoe weet ik dat ik je kan vertrouwen?' vraagt Hugo.

Susan slikt een geërgerd antwoord in en zegt in plaats daarvan: 'Dat zal ik je laten zien. Wat mij betreft gaan we niet meer naar Johnny toe.'

'En als ik nou wil duiken?'

'Dan gaan we wel naar Johnny toe en kun je zelf zien dat er niets speelt. Je ziet allemaal tekenen en hebt daaruit conclusies getrokken die echt niet waar zijn', zegt Susan. 'Ik slaap trouwens wel vaker slecht in hotels. Zo fantastisch is dit bed niet, en 's nachts lopen er de hele tijd beveiligers over het terrein die niet zachtjes kunnen praten.'

Ze ziet dat Hugo begint te ontdooien. 'Ik vind het gewoon jammer dat we geen gebruikmaken van het feit dat we even een weekje kinderloos zijn. Seks is nooit meer spontaan als we thuis zijn, en hier komt het er ook niet echt van.'

'Je hebt gelijk', zegt Susan.

'Op die manier krijgt Stijn nooit een broertje of zusje', zegt Hugo met een twinkeling in zijn ogen.

Susan was al bang dat hij daarover zou beginnen. Ze heeft geen zin om erover te praten. Gelukkig laat Hugo het onderwerp rusten.

'Zullen we gaan eten?' vraagt hij.

Susan knikt. Ze schuift haar stoel achteruit en loopt voor Hugo uit naar het buffet.

***

Achteraf had ze in de krant gelezen dat hij inderdaad dood was. Het plaatselijke nieuwsblad had er weinig woorden aan vuilgemaakt. Een met kogels doorzeefde man was uit het water gevist in het Westelijk Havengebied in Amsterdam. Het slachtoffer was geboeid, gedacht werd aan een afrekening in het criminele circuit. Zo onschuldig bleek hij niet te zijn. De diamanten die hij vervoerde waren gestolen en dat ze nu weer door een andere bende waren geroofd deed de politie geloven dat er een bendeoorlog gaande was. Een oorlog die een slachtoffer had geëist dat door bijna niemand werd betreurd.

Ze was blij dat ze op tijd bij haar positieven was gekomen. Ze had een redelijk schoon geweten. Maar dat betekende niet dat ze erover sprak in haar nieuwe leven. Ze hield haar lippen stijf op elkaar en wat de consequenties ook waren, dat zou ze ook nu blijven doen.

***

13

SUSANS OGEN VLIEGEN OVER HET SCHERM.

De man die je zoekt heet Erich Mondatjev, een Rus. Hij zal informatie over Johnny interessant vinden. Hij is hem na zijn vlucht uit Nederland niet intensief blijven zoeken. Deze man gaat over miljoenen aan crimineel geld, voor een paar ton gaat hij zijn mensen niet inzetten. Maar als hij Johnny in de schoot geworpen krijgt, zal hij er zeker iets mee doen. Als Mondatjev je betaalt voor je informatie, wil ik de helft. Dat komt niet in de buurt van wat Johnny van me heeft gestolen, maar het is een begin. Je kunt hem bellen, maar krijgt altijd iemand anders aan de telefoon. Uiteindelijk kom je bij Mondatjev uit, als de informatie interessant en betrouwbaar genoeg lijkt.

Ze heeft er een telefoonnummer bij gezet. Een gewoon 06-nummer. Susan krabbelt het op een briefje, net als zijn naam. Nadia heeft ook haar eigen nummer vermeld, voor noodgevallen. Ook dat schrijft ze op.

Susan voelt haar knieën licht trillen. Dus er is ruzie tussen Nadia en Johnny over geld. Susan vraagt zich af of Johnny van Nadia heeft gestolen voor of na de ontmoeting die zij met hem had. Na, denkt ze. Hij had geld nodig om zijn leven in Egypte op te bouwen.

Dit is het, dit is wat ze nodig heeft om Johnny een halt toe te roepen. Ze wil hem een voorstel doen dat hij niet kan weigeren: allebei hun mond houden. Zij tegen Mondatjev, hij tegen Hugo. En hij moet de test laten rusten. In ruil daarvoor zal hij zijn zonnige leventje in Hurghada voort kunnen zetten zonder op elke hoek van de straat bang te hoeven zijn overhoop geschoten te worden. Want een paar ton heeft Johnny niet, dat weet ze wel zeker.

Ze surft naar Google.nl en typt zijn naam in. Het levert geen hits op. Dat kan betekenen dat Mondatjev een meester is in het uit de spotlight blijven, of dat hij in werkelijkheid anders heet. Het kan haar niet echt schelen. De enige die de naam hoeft te herkennen is Johnny.

Susan draait haar nieuwe ring rond haar vinger. Een cadeautje van Hugo dat ze gisteravond tijdens hun etentje in het centrum heeft gekregen. Vandaag is hun trouwdag. Vijf jaar. Ze heeft geprobeerd ervan te genieten, maar het onheilspellende gevoel op de achtergrond is niet verdwenen. Vijf jaar samen, vijf jaar liegen.

Susan zet het opkomende schuldgevoel snel van zich af. Het heeft geen zin om daarover te piekeren, ze heeft wel iets anders aan haar hoofd. Nu is het te laat, maar morgenochtend zal ze naar de duikschool gaan en Johnny confronteren met wat ze weet.

Ze zoekt op internet het nummer op van de duikschool en belt het met haar mobiele telefoon. Gelukkig neemt een collega van Johnny op.

'*Hello*', zegt Susan. '*Can I make an appointment to dive with Johnny?*'

'*Sure. When?*'

Susan boekt onder de naam Melanie Jones een duik samen met Johnny, morgenochtend om tien uur. Ze zegt ervaring te hebben en eerder met Johnny als begeleider te hebben gedoken. Het meisje aan de andere kant van de lijn gelooft haar klakkeloos. Drie minuten later hangt Susan op.

De eerste hindernis is genomen.

Ze loopt naar de receptie en spreekt de jonge receptionist aan.

'I like to make a reservation at the spa.'

Hij knikt en schuift een kaart naar haar toe, de menukaart van het wellness centre. Susan kijkt niet naar de behandelingen. De spa gaat om halftien open. Ze tekent in op de sauna rond die tijd en op een behandeling in de middag. Die behandeling moet ze makkelijk kunnen halen, de sauna-afspraak is alleen bedoeld om Hugo om de tuin te leiden. Hij haat sauna's en zal het wel uit zijn hoofd laten om met haar mee te gaan. Met een beetje geluk zoekt hij zijn heil bij het zwembad en dat geeft Susan mooi de tijd om naar Johnny te gaan. In de middag zal ze dan alsnog haar massagebehandeling hebben, zodat iemand altijd kan beamen dat ze inderdaad in de spa was geweest. Nu Hugo zo achterdochtig is, kan ze niet voorzichtig genoeg zijn.

‘Waar ga je heen?’

Hugo stem klinkt nog schor van de slaap. Voor het eerst heeft hij uitgeslapen. Susan daarentegen is al uren klaarwakker. Ze heeft zo lang naar het plafond liggen staren dat ze als ze haar ogen dichtdoet witte vlekken ziet. Het is negen uur, over een halfuur wordt ze in de spa verwacht. Hugo reageerde heel positief toen ze hem gisteren vertelde dat ze een verwendagje voor zichzelf had geboekt. Zelf heeft hij plannen om op het strand te gaan liggen en eindelijk het boek uit te lezen waarin hij al weken bezig is. Susan is blij dat hij niet meer over duiken is begonnen. Het is inmiddels zaterdag, morgen staat de excursie naar Luxor op het programma en dan zit de vakantie er al weer op. Als alles vandaag verloopt zoals ze het heeft gepland, heeft ze straks niets meer van hem te vrezen.

‘Zullen we nog even samen ontbijten voor je weggaat?’ vraagt Hugo. Hij doet ontzettend lief tegen haar, van zijn eerdere achterdocht is niets meer over. Dat ze eergisteravond en gisteravond hebben gevreeën, heeft waarschijnlijk geholpen.

Susan knikt. Ze kan geen hap door haar keel krijgen, maar ze wil Hugo niet argwanend maken. ‘Gezellig. Maar we moeten wel opschieten, want over een halfuur ga ik naar de sauna.’

Tien minuten later zitten ze tegenover elkaar in de eetzaal. Hugo heeft een gele substantie op zijn bord liggen die voor roerei moet doorgaan en waar Susan kokhalsneigingen van krijgt als ze er alleen maar naar kijkt. Hugo schuift het ei echter op een getoast broodje, legt er bacon overheen en neemt er dan een grote hap van. Susan concentreert zich op haar croissantje, dat ze met lange tanden wegkauwt.

Als ze denkt aan straks knijpt haar maag zich samen. Wat als Nadia het mis heeft en Johnny helemaal niet voor Mondatjev op de vlucht is? Dan heeft ze alsnog niets om hem het zwijgen op te leggen, en weet hij dat ze onderzoek naar hem heeft gedaan. Hij zal *not amused* zijn.

Susan schudt haar hoofd. Ze moet ervan uitgaan dat Nadia haar de juiste naam heeft doorgegeven.

'Je bent er wel aan toe, of niet?' vraagt Hugo.

Susan kijkt op. Waar heeft hij het over? Hij zat iets te vertellen, maar ze heeft niet geluisterd. 'Hm?' vraagt ze zo nonchalant mogelijk.

'Aan de spa', verduidelijkt Hugo. 'Je bent wel toe aan een paar uurtjes helemaal ontspannen, volgens mij. Misschien maakt dat je hoofd leeg, want je piekert veel te veel. Denk je aan Stijn?'

Susan knikt, blij met de smoes die hij haar aanreikt. 'Ja, inderdaad. Ik maak me toch zorgen over het kinderdagverblijf. Straks heeft hij een of andere enge bacterie binnengekregen.'

'Waarom vragen we mijn moeder niet om met hem naar de dokter te gaan?'

Susan schudt haar hoofd. 'Dat lijkt me overdreven. Volgens je moeder is er helemaal niets aan Stijn te merken. Wat moet ze tegen de dokter zeggen? Hij is niet ziek, maar toch maken we ons zorgen. De huisarts ziet haar aankomen.'

Hugo knikt langzaam terwijl hij de laatste hap van zijn broodje ei wegkauwt. 'Ja, je hebt gelijk. Ze moet hem maar goed in de gaten houden.'

'Dat doet ze wel.' Susan breekt nog een stukje van haar croissant af. De kruimels komen op het tafelkleed terecht. 'Ik ben rond twee uur klaar', zegt ze. 'Dan kom ik wel naar je toe op het strand en kunnen we gaan lunchen.'

Hugo knikt. 'Prima, ik wacht daar wel op je. Ik ben allang blij dat ik niet mee hoef naar die modderpakkingen en stenenmassages en weet ik veel wat ze hier allemaal aanbieden.'

Susan tovert met moeite een glimlach tevoorschijn en schudt haar hoofd. 'Nee, dat lijkt me niets voor jou.' Ze legt haar halve croissantje terug op haar bord. 'Ik moet gaan, anders kom ik nog te laat.'

Ze staat op en geeft Hugo een kus. Hij ruikt naar zonnebrand. 'Tot straks, schat', zegt Susan. 'Geniet op het strand.'

Ze loopt de eetzaal uit en kijkt onopvallend achterom. Hugo zit nog aan hun tafeltje en neemt de laatste slok koffie voor hij ook opstaat. Ze blijft op de gang wachten en kijkt de zaal binnen. Ze ziet hem weglopen via de uitgang die direct naar het pad richting zwembad en strand leidt. Even sluit Susan haar ogen. Eén hobbel genomen.

Met snelle passen steekt ze de lobby over en verlaat het hotel via de hoofdingang. Ze zet haar zonnebril op en ontwijkt de blik van de portier. Zo min mogelijk mensen mogen haar zien weggaan. Gelukkig lijkt de portier haar nauwelijks op te merken. Hij staat voor zich uit te staren en zwaait af en toe naar een passerende taxi. Susan slaat linksaf, de hoofdstraat van Hurghada in. Zo vroeg in de morgen is het er nog rustig. De winkeliers zijn bezig hun waar uit te stallen, overal dezelfde namaak merktassen en typisch Egyptische prullen als kleine waterpijpen voor thuis en doeken met figuren uit de oudheid erop.

Susan kijkt op haar horloge. Tien over halftien. Nog twintig minuten tot haar afspraak met Johnny. Ze opent haar tas en trekt het briefje eruit waarop ze de naam en het telefoonnummer heeft geschreven. Op een rustige plek blijft ze staan en met haar gezicht naar de muur gewend slaat ze het telefoonnummer op in haar mobiel. Ze weet dat ze hoog spel speelt. Als Johnny weigert de deal te maken zal ze haar dreigement waar moeten maken en Mondatjev moeten bellen. Ze weet niet of ze hem wel te spreken krijgt, ze weet niet eens of het telefoonnummer wel klopt. Ze vaart blind op de informatie die ze heeft gekregen van een vriendin die ze acht jaar geleden van de ene op de andere dag de rug heeft toegekeerd.

Ze stopt haar telefoon weer in haar tas en loopt door. Als ze in de buurt komt van de duikschool, versnelt ze haar pas. Ze zorgt dat ze dicht bij de muur blijft en richt haar blik op de stoep. Mensen die ze passeert keuren haar geen blik waardig en dat is precies wat ze wil.

Snel slaat ze de hoek om en blijft even staan. Vijf voor tien. Ze is mooi op tijd. Ze loopt door het korte steegje naar de duikschool. Nu ze dichter bij zee komt ruikt ze de zoute lucht. Recht voor zich uit ziet ze het blauwe water. In de verte dobberen witte scheepjes, die vandaag al vroeg uitgevaren zijn.

Susan loopt de duikschool voorbij en kijkt onopvallend naar binnen. De deur staat open, maar er is niemand. Ze keert om en gaat naar binnen. Op de balie staat een ventilator die traag rondjes draait. Het brengt nauwelijks verkoeling. Susan kijkt in de agenda, die ernaast ligt. Melanie Jones, het staat erin.

Ze overdenkt haar volgende actie. Hier wachten en het risico lopen dat er een collega van Johnny binnenkomt die haar herkent? Of naar buiten gaan en van een afstandje toekijken tot Johnny er is? Susan vloekt binnensmonds. Ze heeft hier van tevoren niet goed genoeg over nagedacht.

'Good morning', hoort ze ineens achter zich. Ze verstijft. Het is Johnny.

'Melanie?' vraagt hij.

Susan dwingt zichzelf normaal te ademen. Dit is het moment. Langzaam draait ze zich om. 'Nee, ik ben het.'

Johnny trekt zijn wenkbrauwen op. 'Susan?' Zijn stem klinkt neutraal. 'Wat kom je doen? Ik heb om tien uur een afspraak, dus ik kan niet met jou en Hugo duiken.'

Hij doet alsof zijn neus bloedt. Susan schudt haar hoofd en zet een stap in zijn richting. 'Hugo is hier niet', zegt ze. 'En ik ben Melanie.'

In Johnny's gezicht vertrekt nog geen spier. 'Juist', zegt hij.

'We moeten praten.'

Johnny geeft geen reactie.

'Je kunt maar beter naar me luisteren.'

Hij slaat zijn armen over elkaar en kijkt haar aan. *'Hit me.'*

'Niet hier.' Het risico dat ze hier worden gezien is veel te groot en bovendien wil Susan Johnny de kans ontnemen meteen zijn jongens in Nederland opdrachten te geven als wat hij te horen krijgt hem niet aanstaat.

'Ik heb een duik geboekt', zegt Susan met een knikje naar de agenda. 'Dus waar wachten we nog op?'

Even ziet ze een spiertje trekken bij Johnny's oog. Susan voelt haar eigen spieren, die tot het uiterste gespannen zijn. Met moeite houdt ze haar handen stil langs haar lichaam. Af en toe knikken haar knieën licht. Haar hart bonkt zo hard dat de slagen als doffe bonzen weerklinken in haar hoofd.

'Oké', zegt Johnny dan. Hij kijkt haar geringschattend aan. 'Wat je wilt. Melanie.'

Susan grist een duikpak mee en volgt Johnny naar het kleine haventje waar de vier boten van de duikschool liggen. Ze ziet de Athena, waar ze met Hugo op geweest is. Johnny loopt er voorbij naar een kleinere boot. Hij heeft zijn eigen duikpak al aan en zet twee duikflessen aan boord. Van de jongens die de eerste dagen de spullen sjouwden ontbreekt nu ieder spoor.

'Hera' staat in sierlijke letters op de boeg van de speedboot. Susan loopt de steiger op, die een beetje deint op het ritme van de golven. Via de loopplank stapt ze aan boord van de boot. De Hera is een stuk kleiner dan de Athena. Er is geen stuurhuis, het is meer een soort speedboot. De duikflessen staan achterin en worden rechtop gehouden door een band die aan de boot vastzit. Susan zet haar tas neer op een plastic bank en gaat ernaast zitten. Johnny start de motor en haalt de trossen los. Al die tijd zeggen ze niets tegen elkaar.

Pas als ze honderd meter uit de kust zijn draait Johnny zich schuin naar haar om. 'Ik heb de test al gedaan', zegt hij. Zijn woorden worden half weggeblazen door de wind, maar Susan heeft hem wel verstaan. Ze kijkt strak voor zich uit en reageert niet.

Johnny legt de boot stil. Ze zijn zo'n driehonderd meter uit de kant. Susan bereidt zich voor. Dit is het moment.

'Hij huilde niet eens', zegt Johnny. Hij gaat tegenover haar zitten en steekt een sigaret op. De rits van zijn duikpak staat open. Susan kijkt naar haar eigen pak, dat op de bodem van de boot ligt.

'Hij liep zomaar met die aardige meneer mee.' Hij treitert. Susan gaat er niet op in, al trilt haar hele lichaam van ingehouden spanning. 'En die kut die bij hem was liet zich nog makkelijker afleiden dan de eerste de beste mongool. Jezus, je zou bijna zeggen dat ze betaald is om een oogje dicht te knijpen. Hé, wacht. Misschien is dat ook wel zo.'

Susan slikt.

'Ik heb de uitslag', zegt Johnny. 'En ik weet zeker dat je die interessant zult vinden.'

Drie werkdagen, minimaal. Susan heeft het op internet opgezocht. Het duurt drie werkdagen voor de uitslag er is. Vandaag is de derde dag, maar het is weekend. Johnny kan de uitslag nog niet hebben.

'We moeten praten', zegt ze uiteindelijk. 'Ik wil dat je stopt met je DNA-test. Ik wil dat je mij en Hugo met rust laat.'

Johnny neemt een lange trek van zijn sigaret en blaast de rook in haar richting. 'Nee', zegt hij dan opgewekt.

'Ik wil...'

'Het antwoord is nee. Ik stop niet. Ik heb het recht om te weten...'

'Houd toch je kop', onderbreekt Susan hem fel. 'Het is lachwekkend om jou over recht te horen praten. Sneu.'

Johnny lacht nep. 'O, ze vindt me sneu', hoont hij. 'Nou, dan stop ik er meteen mee.'

Susan gaat verzitten. Haar rok is vochtig, net als de achterkant van haar shirt.

'Ik heb een voorstel', zegt ze toonloos. 'We houden allebei onze mond.'

Johnny trekt één wenkbrauw op. Hij schiet zijn peuk over de reling het water in en staat dan op. 'Ik weet niet waar deze poppenkast goed voor is, Susan, maar ik begin er een beetje genoeg van te krijgen. Je voorstellen interesseren me niet. Het enige wat telt is dat ik mijn kind opeis, als hij mijn kind is.'

'Je had de uitslag toch al?' vraagt Susan cynisch.

Johnny draait zijn hoofd naar haar toe. 'Ik kan me niet herinneren dat ik heb gezegd dat ik die nu al aan jou zou vertellen. Je hoort het vanzelf, op mijn manier en op mijn moment.'

Hij legt zijn hand op het roer en wil de sleutel omdraaien. Dan zegt Susan: 'Mondatjev zal het interessant vinden te horen waar je uithangt. Hij heeft je al zo lang niet meer gezien.'

Johnny's hand blijft naast de sleutel zweven. Susan ziet door zijn duikpak heen de spieren in zijn rug aanspannen. Ze heeft raak geschoten.

Even is het gekabbel van de golven tegen de zijkant van de boot het enige wat de stilte verstoort. Susan laat geruisloos haar hand in haar tas glijden en pakt haar telefoon. 'Zal ik hem anders even bellen?'

Ze ziet meteen dat ze op zee geen netwerk heeft en dat haar dreigement loos is, maar toch maakt het iets bij Johnny los. Met een ruk draait hij zich om. Weg is zijn onaangedane, ietwat spottende gezichtsuitdrukking. Weg zijn kalmte en vermeende superioriteit. In plaats daarvan lijken zijn blauwe ogen wel zwart. Ergens voelt Susan een steek twijfel. De boot leek een goed idee, maar nu weet ze dat niet meer zo zeker.

Johnny torent hoog boven haar uit. Susan gaat staan, maar nog steeds is er een behoorlijk verschil in lengte. En in kracht, weet ze. De boot wiebelt heen en weer als ze beweegt. Ze wankelt even, Johnny staat doodstil.

'Hoe kom je daaraan?' Johnny knikt in de richting van haar mobiele telefoon.

'Waaraan?' Susan zet haar zonnebril op haar hoofd om de haren die aan haar staart zijn ontsnapt in toom te houden in de zeebries.

'Zijn nummer.' Johnny wordt ongeduldig. 'Hoe kom je aan het nummer van Mondatjev?'

'Dus je kent hem?'

'Hoe kom je aan zijn nummer?' Johnny verheft zijn stem. Susan heeft moeite in te schatten of hij bang of boos is, of allebei.

'Dat doet er niet toe', antwoordt ze. 'Ik ga het namelijk niet gebruiken.'

Johnny's wenkbrauwen schieten omhoog. 'Ik ken jou langer dan vandaag, Susan. Je bent niet te vertrouwen.'

'Look who's talking', antwoordt ze cynisch. 'Je zult me op mijn woord moeten geloven. Ik zal het nummer van Mondatjev niet gebruiken als jij je bek houdt over ons verleden. Stop met die DNA-test en zeg niets tegen Hugo, dan zal Mondatjev van mij nooit te horen krijgen waar je zit en kun je hier tot je dood Johnny van Wijk uithangen.'

Johnny schudt zijn hoofd. 'Je lult. Jij en die klootzak met wie je getrouwd bent zijn voor geen meter te vertrouwen.

Jij zult me toch wel verlinken bij Mondatjev. Je bent er niet voor niets uitgestapt toen je geweten begon te knagen.'

'Onzin', zegt Susan. 'Er gebeurt niets als jij je bek houdt en ophoudt met dat gezeik over het vaderschap van Stijn. Laat het rusten, anders zal Mondatjev straks met liefde je kloten uit je broek schieten.'

'Je bluft'. Johnny's stem klinkt hoger dan eerst. 'Je hebt zijn nummer niet.'

'Daar zal je nog wel achterkomen.' Susan veegt met haar hand langs haar voorhoofd. Het is minstens dertig graden en de zeebries biedt weinig verkoeling. Ze wil terug naar land, maar Johnny hapt nog niet.

'Hebben we een deal?' vraagt ze.

'Nee.' Johnny schudt zijn hoofd. 'Nee, ik geloof niets van dat gelul.'

'Je kunt me maar beter wel geloven, want...'

Ze krijgt de kans niet om haar zin af te maken. Johnny pakt haar hardhandig beet. Er schiet een pijnscheut door haar armen als hij die op haar rug draait. Zijn naar oude rook stinkende adem strijkt langs haar wang als hij zegt: 'Ik geloof je helemaal niet, onbetrouwbare slet. Jij bent erop uit om mij kapot te maken, maar dat zal je niet lukken.'

Susan probeert zich los te worstelen uit zijn ijzeren greep, maar hij is veel sterker. Ze trapt hard tegen zijn scheenbeen, maar het enige gevolg is dat haar slipper uitschiet en via de opening aan de achterkant van de boot in het water verdwijnt.

Johnny geeft haar een harde duw en Susan smakt tegen het plastic bankje. Ze voelt een felle pijnscheut door haar ribbenkast gaan. De lucht wordt uit haar longen geperst en even hapt ze naar adem, wat de pijn in haar ribben verergert. Het volgende moment voelt ze Johnny's handen om haar keel. Hij knijpt haar luchtpijp dicht nog voor ze een hap adem kan nemen. Ze spert haar ogen wijd open en trapt wild om zich heen.

'Nu hoor ik je niet meer over een deal, hè?' schreeuwt Johnny. 'Nou heb je niet zo'n grote bek meer!'

Susan blijft trappen, maar voelt zich slapper worden. Ze ziet witte flitsen en haar longen staan in brand. Johnny knijpt steeds harder. 'Laat me...' probeert ze uit te brengen, maar ze kan bijna geen geluid maken.

Ze ziet de blik in Johnny's ogen. Mededogen kent hij niet. Ze had moeten weten dat hij het niet op een akkoordje wil gooien. Daarvoor is vertrouwen nodig, en Johnny vertrouwt niemand.

'Laat me...' probeert ze opnieuw. Ze maait met haar armen, maar die missen ieder doel. Ze moet zich concentreren, ook al schreeuwt haar hele lijf om lucht. Ze ziet sterretjes en heeft het gevoel dat ze elk moment meegezogen kan worden in een grote, zwarte leegte.

Susan klauwt met haar handen richting Johnny's gezicht. Ze voelt iets nats en zachts en met alle kracht die ze in zich heeft boort ze haar vinger erin. Plotseling stroomt er weer lucht in haar longen. Johnny slaakt een kreet en duwt zijn hand tegen zijn oog. Susan springt overeind. Ze wordt licht in haar hoofd en probeert zich ergens aan vast te grijpen om te voorkomen dat ze valt, maar haar handen graaien in het luchtledige. Ze stoot hard met haar been tegen de bank en wil schreeuwen, maar een nieuwe pijnsteek in haar ribben beneemt haar de adem. Door de pijn wordt ze helderder en ze ziet nog net Johnny met gestrekte armen op zich afkomen. Susan duikt weg, landt hard op het witte plastic van de bodem van de boot en kan net aan voorkomen dat ze met haar hoofd tegen de reling stoot. Ze krabbelt overeind voordat Johnny bij haar is, maar ze kan nergens heen. In paniek grijpt ze het roer en tast ze naar het sleuteltje. Terug naar de kant is het enige wat ze kan bedenken.

Met een ruk wordt ze naar achteren getrokken. Ze knalt op de grond en klapt met haar hoofd tegen de bank. Ze tast met haar hand naar de plek en voelt een kleverige vloeistof.

Als ze haar hand terugtrekt zit er bloed op haar vingers.

Johnny draait het sleuteltje van de boot rond tussen zijn duim en wijsvinger. 'Niet zo slim van je om hierheen te komen en te proberen het met Johnny op een akkoordje te gooien. Je had moeten weten dat er met mij geen deal te maken valt. Ken je me dan zo slecht?'

Het is geen vraag, en Susan geeft geen antwoord. Ze probeert haar kansen in te schatten. De wond op haar achterhoofd bloedt stevig en doet flink pijn, maar ze is nog helder. Als ze snel is, kan ze langs Johnny heen zien te komen en in het water springen. Maar wat schiet ze daarmee op? Zij kan nooit zo snel zwemmen als hij kan varen.

Haar ogen schieten heen en weer. De voorkant van de boot is geen optie. Johnny blokkeert de doorgang. Het is of via de achterkant het water in, of proberen Johnny te overmeesteren. Haar blik valt op de twee duikflessen, die nog steeds keurig vastgebonden staan. Ze kan de zware metalen voorwerpen gebruiken als wapen, maar ze staat er te ver bij vandaan. Eén beweging van haar kant en Johnny grijpt haar opnieuw.

'Nou?' Blijkbaar wacht hij op een antwoord. Susan zegt niets. Ze schat haar kansen in om binnen twee seconden bij de duikflessen te komen. Ze heeft ooit iets gelezen over reactiesnelheid. Mensen in angst reageren sneller dan mensen die zich veilig voelen. Twee seconden is niet eens genoeg, het moet nog sneller.

Ze maakt een onverhoedse beweging en neemt een duik naar de flessen. Ze schreeuwt omdat door de beweging haar rib weer ontzettend pijn doet.

Johnny is scherp en snel en duwt haar tegen de bodem. Met zijn hele gewicht drukt hij tegen haar borst. Het voelt alsof er honderd kilo steen op haar ligt.

Het is alles of niets. Als ze niet snel iets doet, zal Johnny haar vermoorden. Daarover maakt ze zich geen enkele illusie. Hij is bang, nog veel banger dan zij, en Johnny is het type dat graag definitief met zijn angsten afrekent.

Susan voelt haar benen tegen de witte kunststof drukken. Voorzichtig verlegt ze haar linkerbeen. Johnny reageert niet. Ze probeert ook haar rechterbeen te verplaatsen. Meteen duwt Johnny haar steviger tegen het dek van de boot, maar haar benen laat hij vooralsnog ongemoeid. Hij gaat iets meer rechtop zitten, maar blijft met zijn handen tegen haar borst drukken om haar geen bewegingsvrijheid te gunnen.

'Je was altijd al een onbetrouwbare slet', zegt hij, terwijl hij over zee uitkijkt alsof hij geniet van het uitzicht. 'Dat je hebt gedacht dat je mij te slim af zou zijn, is je grootste fout geweest. Uiteindelijk pak ik je.'

Susans oog valt op een klein, zwartleren hoesje dat half onder een bank vandaan steekt. Een duikmes! Iemand moet het verloren zijn.

Als ze haar linkerbeen opzij schuift kan ze met haar tenen het hoesje aanraken. Centimeter voor centimeter beweegt ze haar been richting het enige redmiddel dat ze kan bedenken. Johnny praat intussen door. Hij zegt dat ze nooit naar Egypte had moeten komen en dat hij ook na haar dood door zal gaan met zijn strijd om Stijn. Susan luistert niet naar hem. Ze heeft al haar aandacht nodig voor het verschuiven van haar been zonder dat Johnny het merkt. Ze slikt moeizaam. Nog een centimeter of tien.

In de verte vaart een boot voorbij. Susan hoort heel zacht het ronken van de motor en daarna begint de speedboot licht te deinen op de hekgolven. Vanaf de andere boot kan niemand haar zien. Johnny kijkt even om. Susan houdt haar adem in.

'Denk maar niet dat zij je komen helpen', zegt hij. 'Ik ken elke duikinstructeur hier in de omgeving en als ik zeg dat het goed is, varen ze allemaal door.'

Hij praat verder, maar Susan concentreert zich weer op haar been en het duikmes. Ze voelt een straaltje zweet van haar voorhoofd richting haar oor glijden. Of is het bloed uit de wond op haar achterhoofd? De wond klopt gemeen, maar ze voelt geen pijn. Voor pijn is nu geen ruimte.

Weer beweegt ze haar been een centimeter naar links. En daarna nog een. Ze verhoogt haar tempo. Johnny duwt steeds harder op haar borst. Ademhalen gaat zwaarder. Ze voelt de druk op haar longen toenemen, maar dat is het laatste waar ze zich zorgen om maakt.

Weer komt haar voet een stukje dichter bij het mes. Ze strekt haar tenen en kan het leer al voelen.

Nu komt het moeilijkste gedeelte. Ze moet haar been optillen of intrekken, anders kan ze haar voet niet aan de andere kant van het hoesje krijgen. Optillen kan niet. Johnny zal denken dat ze probeert op te staan. Ze trekt haar knie een stukje omhoog. Nog een paar millimeter en dan kan ze haar voet zo ver naar links bewegen dat ze hem om het hoesje heen kan schuiven. Ze heeft haar wang nu helemaal tegen het plastic van de boot geduwd om langs haar eigen lichaam heen te kunnen kijken.

Nu moet ze haar voet naar beneden bewegen. Nog vijf centimeter, nog vier, nog drie...

Ineens springt Johnny op. Met een ruk trekt hij haar overeind. Susan slaakt een kreet en stribbelt tegen. Ze duikt naar de grond en door die onverhoedse beweging verliest Johnny zijn grip. Zijn handen graaien in de lucht naar haar en dan krijgt ze een harde duw. De lucht wordt uit haar geperst als ze hard op haar buik landt. Even ziet ze niets, maar haar vingers tasten naar het mes. Ze voelt het stugge leer van het hoesje. Ze trekt aan de sluiting, die niet meegeeft.

'Dat dacht ik niet.' Johnny trekt haar aan haar schouders overeind en klauwt naar het voorwerp in haar hand. Susan klemt twee handen om het leren hoesje heen. Haar rechtermiddelvinger vindt de opening. Ze rukt aan het metalen voorwerp dat erin zit. De sluiting schiet open en ze staat met het mes in haar hand. Zonder aarzelen maakt ze onderhands een beweging naar achteren.

'Aah!' brult Johnny in haar oor. Susan voelt dat het mes vastzit. Ze wil het lostrekken, maar Johnny draait haar handen op haar rug. Daarna draait hij haar om en beukt met zijn elleboog in haar ribbenkast. Ze voelt pijn die ze nog nooit heeft gevoeld en even lijkt de wereld stil te staan. Een zure golf komt omhoog in haar slokdarm en ze buigt zich voorover. Haar ontbijt belandt spetterend op het achterdek.

Johnny trekt haar overeind. Susan ziet witte en zwarte flitsen van de pijn. Een arm sluit zich om haar nek en ze hapt naar lucht, maar die komt niet. Het heft van het duikmes drukt tegen de achterkant van haar bovenbeen. Het moet in Johnny's been zijn blijven steken. Ze probeert haar handen los te trekken, maar het lukt niet.

Johnny duwt haar in de richting van het trappetje dat aan het achterdek hangt. Susan probeert haar hoofd te draaien, om te zien wat hij van plan is. Hij geeft geen centimeter toe. Zijn arm duwt als een blok tegen haar keel, zijn andere hand houdt haar handen op haar rug.

Plotseling laat Johnny haar handen los. Haar laat zijn grip op haar keel een beetje vieren en Susan draait haar hoofd ver genoeg om om te zien dat hij het duikmes uit zijn been trekt. De diepe vleeswond begint hard te bloeden. Johnny geeft geen krimp.

De punt van het mes prikt nu in haar rug. 'Ik voer je aan de haaien', snuift Johnny in haar oor.

Susan kijkt naar het heldere water onder zich. Het kabbelt tegen de boot aan. Rond het trappetje zwemmen visjes. Plotseling geeft ze een harde trap naar achteren, waar ze de wond op Johnny been vermoedt. Even verslapt zijn greep op haar keel en van die milliseconde maakt ze gebruik door te springen. Haar ribben staan in brand van pijn, maar ze verbijt het, net als het brandende gevoel van het zoute water dat de open wond op haar achterhoofd overspoelt. Ze moet nu zwemmen. Naar de kant, naar een andere boot, een tweede kans krijgt ze niet.

Paniekerig kijkt ze om zich heen. Er zijn geen andere boten en de vage omtrekken van Hurghada zijn een paar honderd meter bij haar vandaan. Toch moet ze zwemmen. Ze begint aan een rechte lijn naar de kant.

Achter zich hoort ze een luide plons als ook Johnny in het water springt. Ze werpt een blik achter zich. Hij zit haar op de hielen. Als ze haar hoofd weer omdraait krijgt ze een golf zout water binnen. Ze hoest en vecht voor lucht. Als ze inademt verslikt ze zich en ze begint te hoesten, wat een nieuwe pijngolf in haar ribben veroorzaakt. Ze maait met haar armen, maar komt niet vooruit. Er schieten tranen in haar ogen. Wild trapt ze met haar benen in het water, en eindelijk krijgt ze weer lucht en kan ze verder zwemmen.

Maar Johnny is sneller. Ze voelt hem eerder dan dat ze hem hoort. Het water golft om haar heen door zijn krachtige zwemslagen. Ze gooit alle kracht die ze in zich heeft in haar eigen borstcrawl met één arm, maar Johnny haalt haar in alsof ze stil ligt in het water. Als hij rechts van haar opduikt doet hij een uitval naar haar. Ze ziet de verbeten trek op zijn gezicht, de ijskoude blik in zijn ogen.

In de ultieme poging te ontkomen maakt Susan een ruk naar links. Ze voelt Johnny's vingers langs haar armen glijden, maar hij mist. Ze zwemt verder, al weet ze niet eens waarheen.

Johnny keert ook om en zet opnieuw de achtervolging in. Hij zwemt nu rechts van haar, ze wordt gedwongen meer naar links te gaan zwemmen. Water golft over haar heen. Het zout prikt op haar lippen en brandt in haar ogen.

Haar arm raakt iets hards. Het is de zijkant van de boot, haar nagels krassen over de kunststof. Ze vindt geen grip.

Johnny grijpt haar pols vast. Susan gilt van angst en trapt met haar benen. Ze weet niet wat ze raakt, misschien de wond op zijn been, maar Johnny's grip verslapt even en ze rukt zich los. Het water kleurt lichtrood. Ze weet niet van wie het bloed is.

Hijgend crawlt ze door het water, wild trappend met haar benen om weg te komen. Haar armen maaien door de lucht, ze kan geen ritme vinden in haar slag. Ze hoort Johnny achter zich.

Aan de voorkant van de boot vindt ze ook geen steun. Haar handen glijden over de gladde buitenkant. Ze zwemt om de punt heen en probeert via de andere kant bij het trappetje aan de achterkant te komen. Ze hoort Johnny vloeken.

In de seconde dat Susans vingers het koude staal van het trappetje raken, is Johnny weer bij haar. Ze heeft geen schijn van kans op de boot te klimmen en weg te varen voor hij haar heeft ingehaald. Zijn arm sluit zich om haar middel, zijn hand slaat hij voor haar gezicht. Ze voelt dat ze naar beneden wordt geduwd. Het enige wat haar boven water houdt is haar greep om het trappetje. Wild beweegt ze haar hoofd heen en weer, maar ze wint geen millimeter. Zijn vingers bedekken haar mond en ogen. Door haar neus krijgt ze geen lucht meer. Ze opent haar mond en proeft zout. Ze zuigt lucht naar binnen, maar het is niet genoeg.

Weer trapt ze naar achteren, maar ze mist zijn benen. Johnny's gezicht is nu vlak bij het hare. De schittering van de zon wordt weerkaatst in zijn ogen. Susans blik schiet heen en weer. Ze probeert te slaan, maar haar hand raakt het harde materiaal van de boot. Ze voelt haar kracht wegvloeien.

Niet loslaten, is het enige wat ze denkt. Als ze het trappetje loslaat, is ze verloren. Ze blijft met haar benen naar achteren trappen, maar ze voelt opkomende kramp.

Johnny verplaatst zijn hand van haar gezicht naar haar hals en even krijgt ze volop lucht binnen. Het wordt helderder in haar hoofd, maar dan knijpt hij haar keel dicht. Susan grijpt ook met haar gewonde hand het trappetje vast, maar grip krijgt ze niet. Haar vingers kan ze niet langer bewegen.

Ze trekt zich met de kracht van één hand aan het trapje naar de boot toe en raakt een paar centimeter verder van Johnny verwijderd, maar dat duurt niet lang. Hij heeft haar keel losgelaten en drukt nu met twee handen op haar schouders. Ze gaat kopje onder en verliest haar grip op het trappetje. Een golf zout water spoelt naar binnen. Onder water is het stil. Ze doet haar ogen open, maar knijpt ze meteen weer dicht tegen het brandende gevoel van het zout. Dan doet ze ze opnieuw open. Ze moet kunnen zien wat ze doet. Het trappetje loopt onder water door en ze grijpt de eerste tree die ze tegenkomt. Uit alle macht duwt ze zich omhoog. Ze wint een paar centimeter, maar dan voelt ze opnieuw dat ze naar beneden zakt. Johnny is sterker en zwaarder en heeft het voordeel dat hij boven haar is.

Susan moet hoesten. Ze voelt het water in haar keel stromen. Haar ribben protesteren, maar de temperatuur van het water heeft de pijn wat verdoofd. In paniek trapt ze met haar benen, maar ze raakt alleen maar water. Overal is water. Onder haar, boven haar, in haar. Ze klemt haar hand nog steviger om de sport van het trappetje en duwt haar lichaam er tegenaan. Ze grijpt een tree hoger vast, boven water. Uit alle macht vecht ze tegen de drang om in te ademen. Als ze dat doet verliest ze. Veel mensen denken dat je stikt als je water inademt, maar dat is niet zo. Het water komt in je longen terecht en baant zich razendsnel een weg naar je bloedbaan. Eenmaal daar verdunt het water je bloed zo snel dat je lichaam er niets tegen kan doen. Dan begeeft je hart het. Je gaat meteen dood aan een hartaanval.

Susan dwingt zichzelf door te vechten, ook al voelt ze overal pijn en wordt het langzaam zwart voor haar ogen. Haar oren suizen. Haar hele lichaam schreeuwt om zuurstof. Met haar arm graait ze naar de hogere trede. Haar pols stoot tegen de zijkant van de boot, maar dan heeft ze ineens met twee handen grip op het trappetje. Ze trekt zich omhoog, maar Johnny duwt haar net zo hard weer naar beneden.

Ineens verschijnt Stijn op haar netvlies. Wat heeft ze hem aangedaan? Hij zal het slachtoffer zijn als zij vandaag sterft. Johnny zal hem niet met rust laten en er is niemand om hem daartegen te beschermen.

Het beeld van Stijn geeft haar nieuwe kracht. Ze trekt zichzelf omhoog en komt even met haar gezicht boven het wateroppervlak. Uit alle macht zuigt ze lucht naar binnen. Johnny verhoogt de druk op haar schouders, maar ze houdt stand.

Susan moet één hand loslaten en maait met ermee in het rond. Ze raakt de binnenkant van de boot en weet dat ze er bijna is. Hier moet het klittenband zitten.

Haar vingers vinden het stugge textiel. Johnny rukt aan haar lijf en even verliest ze haar grip, maar ze kan met haar rechterhand de dunne buis van het trappetje opnieuw vastgrijpen. Haar linkerhand kan ze bijna niet meer bewegen van de kramp. Ze knijpt ze uit alle macht haar vingers samen om het klittenband los te maken. Uiteindelijk geeft het mee. Een van de twee duikflessen valt om en rolt bij haar vandaan.

Susan vloekt binnensmonds. Ze trapt met haar benen naar waar ze de wond op Johnny's been vermoedt, maar het water heeft zijn pijn inmiddels verdoofd. Het is nu of nooit. Ze voelt de adrenaline door haar lijf pompen.

Ze zoekt met haar voet naar de onderste tree van het trappetje en zet hem er stevig op. Achter haar slaakt Johnny een gefrustreerde kreet. Hij kan zich niet vastgrijpen, anders had hij haar allang onder water gekregen. Het trappetje heeft haar gered, maar nu moet ze loslaten.

Susan zet haar andere voet ernaast. Ze maakt een onverhoedse beweging met haar hoofd en een streng nat haar valt voor haar gezicht. Wild schudt ze haar hoofd om het haar naar achteren te zwaaien. Daarna neemt ze een diepe teug lucht, zet zich met haar voeten af en in een laatste ultieme poging duwt ze zichzelf omhoog.

Ze laat los en allebei haar handen graaien door de lucht. Dan stoot haar elleboog tegen iets hards en kouds. Ze grijpt ernaar met haar hand en vindt de rand van de duikfles. Ze trekt eraan uit alle macht en voelt hoe de fles omvalt.

Ze trekt hem met twee handen naar zich toe. Haar vingers glijden van de rand, maar ze herpakt zich en uiteindelijk heeft ze het grijze gevaarte in twee handen. Het koude metaal is het meest prachtige wat ze ooit heeft gevoeld. Johnny trekt aan haar armen en probeert de duikfles weg te duwen, maar ze houdt stand. Met haar laatste krachten tilt ze de fles op en ze zet zich met haar voeten af tegen het trapje.

De duikfles komt met een klap neer op Johnny's schedel. Hij stoot een kreet uit en laat haar los. Susan grijpt de fles steviger vast en beukt die met alles wat ze in zich heeft nogmaals tegen zijn hoofd. Bloed druipt over Johnny's gezicht. Het water om hem heen kleurt rood. Zijn ogen draaien weg en zijn armen zinken langs zijn lichaam. Langzaam verdwijnt eerst zijn hals en dan zijn hoofd onder water. Zijn ogen zijn gesloten, zijn mond hangt een stukje open. Als zijn neus onder water gaat, beweegt Johnny niet eens.

Susan smijt de duikfles weg en klimt aan boord van de boot. Ze neemt een sprong naar het roer en wil het sleuteltje omdraaien, maar haar vingers trillen zo hevig dat het tot drie keer toe uit haar handen glipt. Uiteindelijk lukt het om de motor aan de praat te krijgen. Ze heeft nog nooit een boot bestuurd. Ze heeft ooit een auto met automatische transmissie gehad en ze ziet een hendel die haar daaraan doet denken. Ze geeft er een harde ruk aan en de boot komt in beweging. Susan duwt de hendel tot aan het paneel. De boot reageert door steeds meer snelheid te maken. Ze grijpt het stuur vast met twee handen.

Haar gewonde ribben ontnemen haar de lucht. De pijn die ze de afgelopen minuten niet voelde is in alle hevigheid teruggekomen. De adrenaline begint z'n uitwerking te verliezen. Ze stuurt de boot in een rechte streep richting de wal met het risico dat ze zo meteen vastloopt op een stuk koraal.

De zeebries doet haar huiveren in haar drijfnatte kleren.

Ze moet iets verzinnen voor de boot. Hem doodleuk afmeren in de haven is geen optie. De dood van Johnny moet een duikongeluk lijken. Hij heeft zijn duikpak aan en bij hem in de buurt drijft een zuurstoffles. Een ervaren duiker als Johnny zal niet te ver bij de boot vandaan gaan. Susan schat in dat ze nog maximaal een meter of vijftig kan varen en dan zal ze de boot moeten achterlaten. Ze kijkt naar de wal. Het is nog een behoorlijk eind.

Ze vaart nog een klein stukje verder en zet dan de hendel weer recht overeind. De motor stopt met ronken en de boot mindert rap vaart. Susan wacht tot de speedboot helemaal stil ligt. Ze twijfelt of ze het anker moet laten zakken. Als Johnny was gaan duiken, zou hij dat zeker gedaan hebben.

Met haar rechterhand maakt ze het anker los en gooit het overboord. Het water is kraakhelder, ze ziet het anker landen en in de bodem steken. Eromheen komt zand omhoog dat het water een beetje vertroebelt. Susan pakt de emmer die in het vak onder het stuurpaneel staat en vult die met zeewater. Daarna spoelt ze het braaksel en de bloedresten weg. Dan wijst niets in de boot er nog op dat Johnny niet de enige persoon aan boord was.

Ze gooit de emmer in zee. Hij wordt meegenomen door de golven en drijft al snel een heel eind bij de boot vandaan.

Susan zet de weggerolde duikfles terug op z'n plek en gespt hem vast met het klittenband. Daarna kijkt ze nog één keer rond op de boot. Alles ziet er normaal uit.

Ze pakt haar ene slipper die nog aan boord ligt en laat zich via het trappetje in haar water zakken. Met haar hand houdt ze haar slipper tegen zich aan geklemd, met de andere probeert ze vooruit te komen in het water. Haar benen voelen aan als lood en ze is ineens doodmoe. Haar pijnlijke ribben beletten haar om snelheid te maken. Het is nog ver tot de kant en ze weet niet waar ze uitkomt.

Het besef dat ze een moord heeft gepleegd begint steeds meer tot haar door te dringen.

14

'NOU, DAT IS TOCH WEL HEEL ERG BALEN.'

Hugo neemt een slok van zijn bier en kijkt een beetje ontredderd naar Susan, die met een glas water en een buisje pijnstillers tegenover hem zit. Ze heeft twee pillen genomen, die beginnen te werken en ze voelt zich slap. Hugo is behoorlijk van slag door haar val.

'Ik vind dat ze daar beter moeten dweilen', zegt hij voor de zoveelste keer. 'Het kan toch niet zo zijn dat je in zo'n wellness centre onderuitgaat door een grote plas water op de vloer voor de sauna? Ze weten nota bene dat mensen daar op hun blote voeten lopen.'

'Ik begrijp het ook niet.' Ondanks de medicijnen giet Susan een cocktail achterover. Ze heeft behoefte aan de verdovende werking ervan. 'Ineens gleed ik weg en het volgende moment deden mijn ribben ontzettend pijn. Ik dacht meteen dat er eentje gebroken was, maar gelukkig is het niet meer dan een gekneusde rib.'

Hugo neemt de laatste slok van zijn bier. 'Ik haal een nieuwe. Wil jij nog iets?'

Susan schudt haar hoofd. Haar cocktail laat zich minder snel wegdrinken.

Hugo staat op en loopt naar de bar. Susan sluit even haar ogen. De alcohol begint z'n werk te doen. Ze moet niet te veel drinken, dan weet ze straks niet meer wat ze precies tegen Hugo heeft gezegd.

Hij was ontzettend bezorgd toen ze vanmiddag uit het wellness centre kwam en van de pijn bijna geen adem kon halen. Twee in allerijl opgetrommelde EHBO'ers van het hotel vergezelden haar. Op het moment dat de medewerkers van het wellness centre even de andere kant op keken was Susan vlak voor de sauna door haar knieën gezakt en op de grond gaan liggen, om vervolgens luid te kermen. Meteen waren er drie uiterst behulpzame meisjes op haar toegesneld. Het was boven alles een mooi alibi.

Nog geen vijf minuten daarvoor was ze in een wijde rok en een te groot T-shirt het hotel binnengegaan via een zijingang. De rok en het shirt had ze meegenomen van het strand waar ze na een halfuur zwemmen aankwam. Haar eigen kleren liggen in de buurt van dat strand in een openbare vuilnisbak. In het wellness centre had ze vlug de gestolen kleren verwisseld voor een badjas en nadat ze de medewerksters ervan had overtuigd dat ze wel zelf naar haar kamer kon gaan, had ze daar snel haar eigen kleren aangetrokken.

Haar ribben deden zo veel pijn dat ze Hugo bij het zwembad vandaan haalde en samen met hem naar een ziekenhuis ging. Meteen een serieus gezicht kwam de dokter na het maken van foto's vertellen dat ze een gekneusde rib had. Het kan haar niet schelen. Stijn is veilig. Johnny is dood.

Ze ziet zijn levenloze lichaam weer naar de bodem zinken. Het kan niet anders dan dat hij dood is, niemand kan dat overleven. Toch is ze er niet helemaal gerust op. Hopelijk spoelt hij snel ergens aan, zodat ze zeker weet dat ze van hem niets meer te vrezen heeft.

Hugo zet een nieuw biertje op tafel neer. 'Ik zal de excursie naar Luxor maar afzeggen, want ik neem aan dat je daar niet zo veel zin in hebt met je zere rib.'

'Nee, dat wordt lastig. Maar op het strand liggen gaat prima, hoor.'

Hugo grijnst. 'Dan doen we dat. Eigenlijk is dat ook wel een perfecte afsluiting van de vakantie. Ik heb Stijn enorm gemist, maar ik ga niet ontkennen dat het wel relaxed is om met z'n tweeën te zijn.'

Susan glimlacht. Ze heeft Stijn nog veel meer gemist dan Hugo kan vermoeden. Ze kan niet wachten tot ze hem weer in haar armen heeft.

Een uur later staat ze in de badkamer en smeert haar verbrande schouders in met aftersun. Ze vloekt zachtjes als er weer een klodder aftersun op de grond valt.

'Wat is er?' Hugo steekt zijn hoofd om de hoek van de deur. 'O, idioot, dat moet je toch niet zelf doen? Ik kan je best even helpen.'

Hij pakt de fles aftersun uit haar hand en begint haar rug en schouders in te smeren. 'Je bent echt enorm verbrand, terwijl je vandaag nauwelijks buiten bent geweest', zegt hij verwonderd.

'Ik begrijp het ook niet. Het moet tijdens het eten zijn gebeurd. Die avondzon kan nog behoorlijk fel zijn.'

Hugo knikt. Zorgvuldig smeert hij elk stukje van haar huid in. Susan probeert rustig te ademen, om de pijn te verminderen. Ze neemt zo nog een of twee van die pijnstillers, anders doet ze vannacht geen oog dicht.

Ze voelt zich raar. Ze heeft het gevoel dat ze zich schuldig zou moeten voelen, maar dat is niet zo. Wel vreemd, alsof ze naar een iets te realistische film heeft gekeken.

Ze voelt Hugo's handen over haar rug glijden. Ze draait haar hoofd naar hem toe als hij zacht haar verbrande nek kust.

'De laatste dag.' Hugo pakt haar hand als ze over het inmiddels bekende paadje naar het ontbijtrestaurant lopen. 'De tijd is omgevlogen, vind je niet?'

Susan knikt. Voor het eerst sinds dagen heeft ze goed geslapen en ze voelt zich ontspannen.

Ze kijkt om zich heen. Ook al is het amper negen uur, de stoelen bij het zwembad zijn al bijna allemaal bezet. Vooral gezinnen met kleine kinderen hebben zich er geïnstalleerd en vanuit het pierenbadje stijgt kindergeschreeuw op. Even denkt ze aan Stijn.

'We hebben morgen toch een vroege vlucht?' vraagt Hugo. 'Stond er niet in de reispapieren dat we vierentwintig uur voor vertrek op het bord in de lobby moesten checken of de vlucht geen vertraging heeft?'

Dat had Susan inderdaad zien staan. 'Laten we het meteen maar even doen.'

Ze buigen af van het pad richting het restaurant en zetten koers naar de lobby. Daar vinden ze zonder problemen het bord waarop de vluchten van Transavia staan aangekondigd.

'Hé, moet je kijken.' Terwijl Susan de vlucht checkt heeft Hugo een krant gepakt. Zo te zien een plaatselijk krantje voor toeristen, aangezien het in het Engels is. Onderaan de pagina ziet ze het bericht dat Hugo bedoelt.

Diving instructor missing since yesterday

Susan slikt, maar haar mond is plotseling kurkdroog. 'Wat bedoel je?' vraagt ze alsof ze het artikel niet ziet.

'Er wordt een duikinstructeur vermist. En in het artikel staat dat het Johnny van Wijk is, ónze duikinstructeur.'

'Dan meen je niet.' Susan pakt de krant van hem aan en hoopt dat Hugo niet ziet dat haar handen beven als ze het korte artikeltje leest. Er wordt alleen maar vermeld dat de 39-jarige van oorsprong Nederlandse duikinstructeur Johnny van Wijk sinds gisteren wordt vermist. Hij is niet teruggekomen na een duik met een klant, waarop zijn collega's aangifte hebben gedaan bij de politie. De klant in kwestie, Melanie Jones, is ook vermist, maar gek genoeg kan de politie bij geen enkel hotel in Hurghada een gast met de naam Melanie Jones vinden en niemand heeft zich bij de politie voor haar gemeld. Het vermoeden bestaat dat Johnny alleen de zee op is gegaan toen zijn klant zich niet meldde en daar een ongeluk heeft gehad. Alleen zijn boot is teruggevonden.

Susan geeft de krant terug aan Hugo. 'Dat is toch wat', zegt ze omdat ze niets anders kan bedenken. Hugo hoort haar nauwelijks. Hij leest het artikel opnieuw.

'Wat een raar idee dat wij nog les van hem hebben gehad', zegt hij. 'Dan ga je toch denken dat het ongeluk ook hadden kunnen gebeuren tijdens onze les. Al slaat dat natuurlijk helemaal nergens op. Hier staat dat ze denken dat hij in zijn eentje is gaan duiken. Denk je dat hij dood is?'

Susan haalt haar schouders op en doet alsof ze verdiept is in de vliegtijden op het bord. 'Geen idee. Misschien duikt hij binnenkort wel weer op.'

Hugo grinnikt.

'Wat?'

'Goede woordspeling.'

'Wat bedoel je?' Susan probeert zo normaal mogelijk te doen, maar de spanning maakt dat ze niet kan nadenken. Ze moet letten op elk woord dat ze zegt.

'Je zei "misschien dúíkt hij wel weer op".'

'O.' Ze produceert een glimlach, die mislukt.

'Ik denk trouwens van niet', gaat Hugo door. 'Tien tegen één dat een duikongeluk in je eentje dodelijk is. Tijd is de belangrijkste factor om te overleven en als niemand weet dat je een ongeluk hebt gehad, weet ook niemand dat je snel hulp nodig hebt, hè.' Hij wacht even om haar de kans te geven te reageren, maar ze houdt haar blik strak op het bord gericht.

'De vlucht heeft geen vertraging.'

'Gelukkig.' Hugo stopt de krant onder zijn arm en pakt Susans hand. 'Tijd voor ontbijt.'

In de eetzaal is het behoorlijk druk, maar het tafeltje waar ze de afgelopen dagen al vaker aan hebben gegeten is nog vrij. 'Ons tafeltje', zegt Hugo pathetisch. 'Ga jij maar zitten, dan haal ik het eten wel. Hoe minder je beweegt, hoe beter.'

Susan neemt plaats en pakt een servetje waarmee ze haar klamme handpalmen droog maakt. Het bericht over Johnny heeft haar hartslag omhoog gejaagd. Ze moet proberen zichzelf weer onder controle te krijgen. Hugo heeft gelijk, het is bijna onmogelijk om zo'n ongeluk te overleven. Helemaal als je ook nog eens met een duikfles een klap op je hoofd hebt gekregen. En toch blijft ze zich onrustig voelen als ze aan Johnny denkt. Onwillekeurig kijkt ze om zich heen, alsof hij ineens in het restaurant zou kunnen staan.

Hugo komt terug met twee borden met ei, bacon en toast. 'Het is de laatste dag, dus geniet er nog maar even van', zegt hij. 'Morgen hebben we geen tijd om te ontbijten, als we al om half zes 's ochtends worden opgehaald.'

'Belachelijk, vind je niet? We vliegen pas om half negen.'

'Ze moeten natuurlijk nog langs andere hotels. Wel leuk dat we in de middag thuiskomen en niet midden in de nacht. Dan zou Stijn al liggen slapen.'

'Ik ben benieuwd hoe je ouders het met hem hebben gehad.'

'Ja.' Hugo leest een berichtje in zijn telefoon. 'Dat is van Danny. Hij sms't om te zeggen dat alles goed is gegaan. God, over achtenveertig uur zit ik alweer gewoon naast hem op kantoor. Dan begint het normale leven weer.'

Het normale leven. Susan knikt. Ze legt haar hand op die van Hugo en glimlacht naar hem. Hij heeft geen idee hoe normaal het leven weer is geworden.

Drie maanden later

***

Hij slaakt een kreet als zijn been krachteloos terugvalt op het groezelige laken. Vijf keer omhoog, niet slecht. Uiterst geconcentreerd gaat hij rechtop zitten, met zijn benen over de rand van het bed. Morgen moet hij de vlucht halen, en daarvoor is het van het allergrootste belang dat hij goed kan lopen. Niemand mag iets aan hem zien.

Hij werpt een blik op het vervallen tafeltje naast zijn bed. Zijn hagelnieuwe paspoort ligt op hem te wachten. De naam heeft hij lukraak gekozen. Hij prevelt wat woorden in zichzelf en kijkt om zich heen in de aftandse hotelkamer waarin hij twee maanden heeft doorgebracht. Morgen. Eindelijk.

Hij voelt de wraak als een hete stroom door zijn lichaam gaan.

***

15

SUSAN NEEMT EEN HAP VAN HAAR BROODJE EN VEEGT DE kruimels weg van de krant die ze aan het lezen is. Er blijft een veeg smeerkaas achter, die de foto bedekt van een of andere Amerikaanse gangster.

Ze kijkt op de klok en ziet dat het al bijna half twee is. Tot haar verbazing slaapt Stijn nog. Tijdens de vakantie in L'Escala heeft hij zijn gewoonte van een middagdutje ineens weer opgepakt, ook al is hij nu ruim drie jaar en zou hij wakker moeten kunnen blijven. Eerst was Susan bang dat hij 's avonds niet zou willen slapen, maar ze hoeft het woord 'bed' maar te noemen en hij loopt al naar boven. Hugo moet erom lachen. Dat heeft hij van papa, roept hij maar al te graag.

Zo erg vindt Susan het niet dat Stijn nog even wil slapen. Dan heeft ze zelf even tijd voor andere dingen. Hoewel het zaterdag is, is Hugo naar kantoor om te werken en het huis is een bende die nodig opgeruimd moet worden. Van Hugo hoeft ze op dit moment even niet zoveel te verwachten. Hij heeft een nieuwe klus aangenomen die er, als Susan hem mag geloven, ertoe zal leiden dat hij straks de opdrachtgevers voor het uitzoeken heeft, maar dan moet hij het wel tot een goed einde brengen. Hij heeft uitgelegd wat de opdracht inhoudt, maar Susan is het alweer vergeten. Het enige wat ze weet is dat hij elke avond om elf uur thuiskomt en 's ochtends voor zevenen alweer vertrokken is en dus ook in het weekend moet werken. Ze vindt het niet zo erg. Tot een maand geleden had hij het niet druk en was hij elke dag vroeg thuis. Ze hebben deze zomer een hoop tijd met elkaar kunnen doorbrengen. Met als hoogtepunt hun vakantie naar Spanje, waar ze, zo bleek achteraf, zwanger is geraakt. Dat is vier weken geleden en sindsdien is Susan voortdurend moe. Gelukkig is ze anders dan bij Stijn totaal niet misselijk.

Ze legt haar hand op haar buik. Hoe anders was de zwangerschapstest die ze nu had gedaan vergeleken bij de test van vier jaar geleden. Destijds vreesde ze al voor een zwangerschap en toen het daadwerkelijk zo bleek te zijn was haar eerste reactie dat ze het weg wilde laten halen. Maar toen Hugo die middag thuiskwam en de lege verpakking van de zwangerschapstest in de prullenbak zag, kon ze niet tegen hem liegen. Dolgelukkig was hij. Zijn grote wens ging in vervulling. Voor Susan braken negen lange maanden van onzekerheid aan. En nadat Stijn was geboren, was die onzekerheid eigenlijk alleen maar groter geworden.

Johnny had gezegd dat hij de uitslag van de DNA-test had, maar dat geloofde ze nog steeds niet. Hij had gebluft.

Die uitslag zou er nooit meer komen. Het idee dat ze niet wist wie de vader van Stijn was kon haar 's nachts nog wel eens wakker houden, maar de kans dat alles uit zou komen was samen met Johnny naar de bodem van de Rode Zee verdwenen.

Daar durft ze inmiddels op te vertrouwen, ook al heeft ze nooit ergens gelezen dat het lichaam van Johnny is gevonden. De eerste weken na thuiskomst uit Egypte keek ze elk uur op de sites van de Egyptische kranten, maar niemand besteedde nog aandacht aan de vermiste duikinstructeur. Twee keer belde ze onder een valse naam naar Passion for Diving, maar beide keren kreeg ze te horen dat Johnny van Wijk bij een duikongeluk om het leven was gekomen. Toen de eerste maand was verstreken durfde ze zich een beetje te ontspannen, na de tweede raakte ze ervan overtuigd dat Johnny echt dood is.

Bij terugkomst in Nederland stuurde ze Nadia een berichtje dat haar broer dood was met een link naar een nieuwsbericht in het Engels over de vermiste duikinstructeur. Nadia gaf geen antwoord.

Susan staat op en brengt haar bord naar de keuken. Daar schenkt ze een glas jus d'orange voor zichzelf in dat ze meeneemt naar boven. Ze gaat op de studeerkamer zitten – een rare benaming voor een kamer waar nooit wordt gestudeerd, maar zo zijn ze het nou eenmaal gaan noemen – en start haar laptop op. In haar Postvak In rollen zes nieuwe berichten binnen. Susan klikt een mail van Rosanne aan. Het onderwerp is "Wijn".

Rosanne mailt dat ze alles al in huis heeft voor de barbecue van die avond en dat Susan geen wijn hoeft mee te nemen, zoals ze eerder had aangeboden. Susan glimlacht.

Ze zal er zelf toch geen druppel van drinken. Ze hoopt maar dat Rosanne daar geen opmerking over maakt, die heeft een scherp oog voor dat soort zaken.

Ze wil haar zwangerschap graag met Rosanne delen, maar Hugo en zij hebben besloten nog even hun mond te houden. Ze vindt het leuk dat ze een geheim hebben. Overdag stuurt Hugo haar soms sms'jes om te vertellen hoe gelukkig hij is dat ze nog een kindje krijgen, en 's avonds zit hij vaak naast haar op de bank als ze televisiekijken, zijn hand uren op haar buik ook al valt er nog niets te voelen. Het gevoel van verbondenheid dat er al was sinds ze Stijn hebben, lijkt wel twee keer zo groot geworden. Hugo is zelfs al bezig met namen verzinnen. Net als de vorige keer wil hij Sophie voor een meisje, en voor een jongen heeft hij Bram bedacht. Susan vindt het nog veel te vroeg om namen te bepalen, maar ze moet lachen om Hugo die al lijstjes heeft gemaakt en soms een naam afstreept of erbij krabbelt. Ze beseft dat ze het getroffen heeft met een betrokken vader als hij. Tijdens de zwangerschap van Stijn zat ze met een vrouw op zwangerschapsgym die vertelde dat haar man het niet nodig vond rond de uitgerekende datum in de buurt te zijn. Hij plande zijn werkafspraken rustig aan de andere kant van het land. Hugo zou de volledige negen maanden van de zwangerschap niet eens de stad uit durven. Ze glimlacht en pakt haar telefoon om hem te sms'en dat ze Bram leuk vindt. En Sophie ook. En dat ze blij is met hun geheim.

Maar Susan vindt het ook leuk om de zwangerschap straks met anderen te delen. Over een week of twee willen ze het aan Katrien en Bert vertellen en dan met twaalf weken aan de rest van de wereld. Ze kan zich al verheugen op het gezicht van haar schoonmoeder, die in haar nopjes zal zijn met nóg een kleinkind. Bij Stijn was ze echt door het dolle heen. Als haar kinderen dan maar één oma hebben, hebben ze het met Katrien wel bijzonder getroffen, bedenkt Susan.

Terwijl ze overweegt even bij Katrien langs te gaan voor Hugo thuis is, hoort ze Stijn zingen. Ze zet het plan toch maar weer uit haar hoofd. Stijn gaat vanavond mee en het is beter als hij 's middags een beetje rustig aan kan doen, anders stort hij in nog voor de barbecue is opgestookt.

Ze moet lachen als ze Stijns versie van Poesje Mauw hoort, hij slaagt er nog niet in alle zinnen in de goede volgorde te krijgen. Ze staat op en loopt naar zijn kamertje om hem uit bed te halen.

'Kom binnen!' Rosanne zwaait de deur open en trekt Susan zo'n beetje naar zich toe. Ze plant drie zoenen op haar wangen. 'Jemig, we hebben elkaar echt veel te lang niet gezien.'

Susan moet lachen om zo veel spontaniteit. 'Zeg dat wel! Kom, Stijn.' Ze pakt Stijns hand en laat hem voor zich uit naar binnen lopen. Daar begroet ze Bart, die achter zijn vrouw staat en haar iets rustiger verwelkomt.

Stijn is intussen al verder gelopen. Susan gaat snel achter hem aan, naar de lange L-vormige woonkamer van Rosannes en Bart knusse nieuwbouwwoning. Rosanne en Bart hebben geen kinderen en Susans ervaring is dat huizen van kinderloze mensen een uitdaging zijn voor ouders van onderzoekende peuters zoals Stijn. Net op tijd kan ze hem dan ook wegtrekken bij een bloemenvaas die op de grond staat. 'Niet aankomen, lieverd. Dan gaat het kapot.'

'Ik zet ze wel weg.' Rosanne pakt de bloemen en verplaatst ze naar de eettafel.

Nu pas valt het Susan op dat er een nieuwe vloer in de ligt. 'Wauw, wat is die vloer mooi geworden!' roept ze verrukt uit. 'Veel beter dan wat jullie hadden.'

Omdat de productie van hun eikenhouten vloer vertraging had opgelopen, hadden Rosanne en Bart een paar maanden oude vloerbedekking op de grond gehad. Niet alleen zag het er niet uit, het was al die tijd ook nog eens bijzonder kil geweest in huis, ondanks het feit dat het zomer was. Maar de vloer die er nu ligt maakt dat allemaal meer dan goed, vindt Susan.

'Laten we buiten gaan zitten', zegt Rosanne. 'Ik schenk een wijntje in en dan wil ik alles weten over jullie vakanties. Niet te geloven dat we er niet in zijn geslaagd in de afgelopen drie maanden een afspraak te maken.'

'Ho ho,' lacht Susan, 'wie waren er ook alweer zes weken in Italië? Wij niet, volgens mij.'

'Ja, daar heb je gelijk in. Ga lekker zitten.' Rosanne maakt een gebaar richting de zwartrieten tuinstoelen die rond de teakhouten tafel staan. Susan loopt naar buiten via de openslaande tuindeuren en zoekt een plekje uit. Ze haalt speelgoed uit haar grote schoudertas en Stijn installeert zich op het grasveld met twee plastic vrachtwagens. Hugo staat intussen met Bart te praten over de constructie van de vloer en de moeite die het kostte om de nerf van het hout mooi te laten doorlopen op de plekken waar de vloer de hoek omgaat. Typisch mannengepraat, denkt Susan met een glimlach.

Rosanne komt naar buiten met in haar ene hand vier wijnglazen en in de andere een gekoelde fles rosé. Susan steekt haar hand op. 'Voor mij geen wijn vandaag, hoor.'

Rosanne kijkt haar onderzoekend aan.

'Ik slik antibiotica', verzint Susan snel. 'Blaasontsteking. Volgens de dokter mag ik bij deze pillen echt niet drinken en ik ben altijd al zo gevoelig voor de bijwerkingen.'

Rosanne knikt begrijpend. 'Irritant is dat, hè? Ik heb dat ook heel sterk. Zal ik een colaatje light voor je inschenken?'

'Lekker.'

Rosanne verdwijnt weer naar binnen. Susan kijkt haar na, blij dat ze niet heeft gevraagd of ze misschien zwanger is. Niet alleen omdat ze dan tegen haar vriendin zou moeten liegen, maar ook omdat Rosanne en Bart zelf graag een kind willen. Susan durft niet goed te vragen hoe het er nu voor staat, Rosanne is erg gesloten als het op dat onderwerp aankomt. Maar het feit dat haar vriendin wel een glas rosé voor zichzelf heeft ingeschonken betekent dat een zwangerschap nog altijd geen feit is.

Rosanne keert terug met een plastic beker Ranja voor Stijn en een glas cola, dat ze voor Susan neerzet. Bart en Hugo schuiven ook aan en ze proosten op een gezellige avond.

'Hoe bevalt het om voor jezelf te werken?' vraagt Susan aan Bart. Hij heeft niet zo lang geleden zijn stressvolle baan als hoofdagent bij de politie opgezegd en is een eigen beveiligingsbedrijf begonnen, een sector waarin volgens hem met minder stress meer geld te verdienen valt. Het is Susan al opgevallen dat hij er in elk geval relaxter uitziet.

'Het gaat goed', zegt Bart ook. 'Ik heb nu al meer opdrachten dan ik aan kan en ik ben druk bezig mensen te zoeken. Dus als je nog een carrièreswitch wilt maken...'

Susan grinnikt. 'Mij niet gezien. Ik vind mijn baan al spannend genoeg. Maar gelukkig weten de klanten je te vinden, en mis je je werk bij de politie niet.'

Bart schudt zijn hoofd. 'Geen seconde. Wat ik vooral niet mis, is al het papierwerk dat we moesten invullen. Daar was ik soms hele dagen mee kwijt.'

'Dat kan ik me voorstellen.'

'Maar vertel eens over jullie vakantie in Egypte', verandert Rosanne van onderwerp. 'Ik wil er alles over weten. Heb je de foto's nog meegenomen?'

'Natuurlijk!' Susan haalt het fotoboek dat ze bij de HEMA heeft laten maken uit haar tas. 'Dat is trouwens ontzettend handig. Ik heb op internet de foto's in het blad geplaatst en dan krijg je het geprint en wel thuisbezorgd. Geen gezeur meer met fotolijm en dat je foto's dan natuurlijk allemaal scheef zitten.'

Rosanne pakt het boek van haar aan en slaat het open. Bart en Hugo geloven het verder wel en pakken hun glazen wijn op.

Even later staan ze bij de gloednieuwe, hypermoderne barbecue die Bart en Rosanne onlangs hebben aangeschaft.

'Wauw, wat een geweldige zee', verzucht Rosanne bij het zien van de eerste Egyptefoto's. 'Jullie zullen daar wel enorm hebben genoten.'

'Absoluut', zegt Susan, die met een half oog meekijkt naar de foto's. Het lukt haar niet te genieten van het fotoboek, al doet ze voor Rosanne wel haar best.

'O wauw!' Rosanne is aangekomen bij een foto van Susan en Hugo in duikpak. Susan trekt een grimas die voor glimlach moet doorgaan. Ze herinnert zich nog precies wanneer de foto is gemaakt, vlak voor de tweede duiktrip door een medewerker van de duikschool.

'Dat ziet er professioneel uit, hoor', lacht Rosanne. 'Is het mooi om daar te duiken?'

Hugo, die bij de barbecue haar vraag heeft opgevangen, zegt: 'Het was het hoogtepunt van de vakantie. Als je ooit in Egypte bent, raad ik je echt aan om te gaan duiken. Je weet niet wat je meemaakt.'

'Echt?' Rosanne kijkt weer naar de foto's. 'Eigenlijk lijkt duiken me doodeng. Het idee dat je afhankelijk bent van die zuurstofflessen is voor mij genoeg om een paniekaanval te krijgen. En bovendien krijg ik al kokhalsneigingen als ik denk aan zo'n ademding in mijn mond.'

'Dan moet je eerst een paar lessen in het zwembad nemen', raadt Hugo haar aan. 'Je leert vanzelf met een mondstuk omgaan. Als je eenmaal gewend bent, is het echt niet moeilijk meer. En het is natuurlijk een kwestie van een goede duikschool uitzoeken, waar ze je goed begeleiden.'

Susan steekt haar hand uit om de bladzijde om te slaan. Ze wil het gesprek op een ander onderwerp brengen. Maar Hugo is nog zo vol van het duiken dat hij doorpraat.

'Wij hadden een heel goede duikschool, met een Nederlandse duikinstructeur', vertelt hij. 'Hij heeft ons echt het prachtigste koraal laten zien. Een heel aardige vent ook, het is ontzettend triest dat hij aan het eind van onze vakantie een duikongeluk kreeg.'

Rosanne kijkt op van de foto's. 'Echt waar? Heeft hij het overleefd?'

Hugo schudt zijn hoofd. 'Nee, helaas niet. Althans, ze hadden zijn lichaam niet gevonden, maar de politie gaat ervan uit dat hij het niet heeft gehaald.'

'Hè bah.' Rosanne kijkt Susan aan. 'Wat een creepy idee dat de man van wie jullie les hebben gehad nu dood is.'

'Ja, hè? Ik denk er liever niet te veel meer aan.'

Rosanne begrijpt de hint en slaat nu wel de pagina om. Ze komt bij foto's van Hugo en Susan aan het diner en begint over de kwaliteit van het Egyptische eten.

Susan werpt een blik op Hugo. Sinds ze uit Egypte zijn vertrokken heeft hij het eigenlijk niet meer over Johnny gehad, en nu is hij alweer met Bart in een gesprek over briketten verwikkeld. Zou hij nooit meer aan hem denken?

Rosanne bladert door de foto's heen en slaat uiteindelijk het boek dicht. 'En hoe was het in Spanje?' vraagt ze terwijl ze zichzelf nog eens rosé bijschenkt. 'Net zo heerlijk als andere jaren?'

Susan werpt een blik op Stijn die zijn vrachtwagens laat botsen en er grommende geluiden bij maakt. 'Het was fantastisch', zegt ze dan. 'Zo ontzettend relaxed. We hebben eigenlijk niets gedaan.'

Ze merkt dat Rosanne haar onderzoekend aankijkt en wendt opnieuw haar blik af. 'Volgend jaar zou ik er zó weer naartoe gaan.'

Maar Rosanne is een scherpe observator. 'Volgens mij vond je het in Spanje veel fijner dan in Egypte. Of heb ik het mis?'

Susan pakt haar glas en brengt het langzaam naar haar mond. Nadat ze een slok heeft genomen zegt ze: 'Ik miste Stijn gewoon vreselijk, dat is alles. Het was een geweldige vakantie, maar acht dagen zonder Stijn was te lang.'

Rosanne knikt begrijpend. 'Ja, natuurlijk. De eerste dagen was het vast lekker om zo veel rust te hebben, maar daarna...'

'Precies. Daarna vond ik het wel heel erg stil zonder Stijn. Hij heeft het trouwens prima naar zijn zin gehad bij Hugo's ouders, hoor. Ik geloof niet dat hij ons ontzettend heeft gemist.' Ze grinnikt.

Rosanne veert op. 'Ik vergeet helemaal de borrelhapjes te pakken.' Ze verdwijnt naar binnen en Susan richt haar blik op Hugo en Bart, die aan de slag zijn gegaan om de barbecue alvast aan te steken. Even voelt ze een steekje van schuldgevoel dat ze tegen Rosanne liegt, maar dat stopt ze snel weer weg. Na vandaag verdwijnt het fotoboek in de kast.

***

Hij is jaren niet in dit land geweest, en toch herkent hij alles. Hij neemt de bus naar een oude vriend, een autohandelaar in Noord. Die lijkt niet eens verbaasd hem te zien. Zonder vragen pakt hij de biljetten aan en geeft de auto mee. Er is niets veranderd. Daarna belt hij op. De stilte en de afwijzing heeft hij verwacht, net als het toehappen. Het was een goed voorstel.

Hij wil vandaag al zijn plan uitvoeren, maar weet zich in te houden. Hij moet honderd procent scherp zijn, sterk en uitgeslapen. En hij moet eerst de plaats verkennen. Hij krijgt maar één kans en die moet hij heel zorgvuldig timen.

Twee keer rijdt hij door de straat. Een suffe verzameling rijtjeshuizen met keurige voortuintjes. Hij briest van afkeuring, en van haat. Hij parkeert de auto en blijft erin zitten, onderuitgezakt en onzichtbaar vanaf de straat. Hij is het nog niet verleerd. Observeren. En toeslaan als het kan. Hij is er klaar voor.

***

16

HET MOMENT DAT HET EERSTE BLAADJE EEN LICHTRODE gloed begint te krijgen is altijd een moment van weemoed. Susan ziet het als Stijn voor de vijftiende keer van de glijbaan gaat en haar blik afdwaalt naar de bomen die het speeltuintje omzomen. Vorige week was alles nog heldergroen, maar nu krijgen de blaadjes die zweem die aankondigt dat de herfst, ook al is het in de verte, in aantocht is. Het is half september en warm, maar dat doet niets af aan het feit dat de zomer bijna voorbij is.

'Mama, kijk!' Stijn klimt opnieuw omhoog via het trappetje en glijdt met zijn armen in de lucht naar beneden. Hij schatert het uit. Susan steekt haar duim op. 'Goed zo, vent!'

Het is rustig in het speeltuintje, zoals wel vaker op maandag. De hele buurt is aan het werk, de kinderen zitten op de opvang. Susan richt haar blik weer op Stijn, die nu op de schommel zit en geduwd wil worden. 'Mama!' roept hij, hevig heen en weer bewegend om de schommel aan de gang te krijgen. 'Je moet me duwen!'

Susan staat op en loopt naar de schommel. Ze geeft Stijn een zacht duwtje, maar daar neemt hij geen genoegen mee. 'Hoger!' roept hij.

Susan duwt harder en Stijn schatert. Hoger, harder, sneller, dat wil hij altijd. Niets leukers dan wanneer Hugo hem op zijn loopauto keihard door de kamer duwt. De paar keer dat hij hard tegen de tafelpoot knalde en zijn hoofd stootte hebben dat plezier niet minder gemaakt.

'Nog hoger!' roept Stijn.

'Nee, zo is het wel hoog genoeg. Straks val je er nog af.'

'Nee, nog hoger!'

Susan duwt nog een klein beetje harder. 'Maar echt niet hoger dan dit!' roept ze. 'En goed vasthouden, hoor!'

'Hoger!' roept Stijn weer.

'Nee, schat. Het is hoog genoeg', lacht Susan.

'Hé, Susan!'

Ze kijkt om. Een vrouw met een rode, duidelijk gloednieuwe, kinderwagen nadert de speeltuin. 'Hé, Corine. Hoe is het met de kleine man?'

Haar overbuurvrouw heeft drie weken geleden een baby gekregen en tot haar schaamte moet Susan toegeven dat ze nog niet op kraamvisite is geweest.

'Stijn, ga jij nog maar even van de glijbaan, dan gaat mama even bij de baby van de Corine kijken.'

Stijn vindt het best en als Susan de schommel stil hangt, laat hij zich eraf glijden en klimt op de glijbaan. Susan loopt naar haar buurvrouw, die met de kinderwagen op het fietspad is blijven staan. Ze werpt een vertederde blik in de wagen. Een klein baby'tje met donkere haartjes ligt zoet te slapen. 'Ah, wat een kleintje. Gaat het goed allemaal?'

Corine knikt met op haar gezicht de mengeling van blijdschap en vermoeidheid die Susan nog zo goed kent uit de tijd dat Stijn net was geboren. Met een steekje van opwinding beseft ze dat ze over een kleine acht maanden weer in die fase zal zitten.

Susan kijkt even om. Stijn heeft de glijbaan verlaten en zit nu op het draaimolentje, maar slaagt er niet in om zelf vooruit te komen. Ze zal hem zo wel helpen. Eerst richt ze haar blik weer op het kleintje in de wagen. 'Je wereld staat zeker op z'n kop sinds hij er is, nietwaar?'

Corinne knikt. 'Dat mag je wel zeggen. Ik had niet verwacht dat een baby zo'n impact heeft op je leven. Soms vraag ik me af of ik ooit weer aan mezelf zal toekomen.'

Susan grinnikt. 'Dat dacht ik in het begin ook. En bereid je er maar op voor dat het de komende jaren om hem zal draaien.'

Corine grijnst. 'Ach, ik zou hem nu al niet meer kunnen missen.'

Op dat moment opent de baby zijn oogjes, begint te grimassen en klaaglijke geluidjes te maken. Corine duikt in de wagen en tast onder de deken naar het speentje van haar zoon. 'Ik zou niet weten wat ik zonder dat ding moest', zegt ze, terwijl ze de speen in de mond van de baby stopt. Het jongetje begint te sabbelen en zijn gezichtje krijgt weer een tevreden uitdrukking.

'De kraamverzorgster vond het maar niets dat ik meteen een speentje voor hem had en gisteren kreeg ik ook nog eens de volle laag op het consultatiebureau. Hoe ik het in mijn hoofd haalde hem nu al te laten wennen aan een speen. Maar ik vind het een uitvinding. Als hij huilt, krijg ik hem er bijna altijd mee stil.'

Susan trekt een afkeurend gezicht. 'Ach, het consultatiebureau. Consternatiebureau kun je beter zeggen. In het begin liet ik me enorm beïnvloeden door alles wat ze daar zeiden, maar inmiddels weet ik dat je het beste je eigen gevoel kunt volgen. Daarmee kom je het verst.'

Corine knikt. 'Je hebt helemaal gelijk, maar als nieuwbakken moeder voel je je helemaal niet opgewassen tegen die vrouwen met twintig jaar ervaring die je vertellen dat wat jij doet helemaal niet goed is voor je kind. Gelukkig is er internet. Ik heb gisteravond van alles opgezocht over speentjes en zo slecht is het helemaal niet voor baby's.' Ze kijkt langs Susan heen en fronst. 'Hé, waar is je zoontje?'

Met een ruk kijkt Susan om. De draaimolen waar Stijn net nog op zat draait traag z'n laatste rondje. Hij is leeg. Meteen gaan al haar alarmbellen af. 'Stijn?' roept ze paniekerig. 'Stijn, waar ben je?'

Ze holt naar de draaimolen en kijkt daarna achter de glijbaan en in het speelhuisje. Het speeltuintje is verlaten.

'Misschien is hij naar huis gegaan', zegt Corine.

'Heb je niets gezien?' Susan kan zichzelf wel voor haar kop slaan dat ze met haar rug naar Stijn gekeerd stond.

Corine schudt haar hoofd. 'Hij was er net nog. Ik zag hem van de draaimolen naar de glijbaan lopen en toen begon Lucas te huilen. Weet je zeker dat hij niet naar huis gegaan is?'

Susan kijkt wild om zich heen. Het fietspad is verlaten, net als de straat. Stijn zou nooit zomaar naar huis gaan, en er is niemand met wie hij mee gelopen kan zijn.

'Jeetje', zegt Corine, die alweer met een schuin oog naar haar zoontje kijkt. Lucas is begonnen te huilen. 'Nou, hopelijk vind je hem snel.' Ze pakt de duwstang van de kinderwagen en vervolgt haar weg.

Susan holt door de speeltuin naar huis. Nog voor ze de voordeur heeft bereikt, is ze nat van het zweet. Haar hart bonst tegen de binnenkant van haar ribbenkast. Ze ramt haar sleutel in het slot, drie keer zit ze mis. Dan zwaait de deur open. Ze rent naar binnen, naar boven, het hele huis door.

Niemand.

Ze dendert de trap af, weer naar buiten. De straat is uitgestorven. Ze rent naar het speeltuintje, daar is niemand. Dan over het fietspad naar de achterkant van de huizen. Er is geen steeg, niet eens een paadje. Hij is er niet, natuurlijk is hij er niet.

Ze rent naar het eind van de straat en slaat dan rechtsaf de aangrenzende straat in. Haar longen doen pijn. Mensen kijken haar bevreemd na, maar ze merkt het niet eens.

Als ze de busbaan is gepasseerd en op de kruising uitkomt houdt Susan op met rennen. Dit heeft geen enkele zin. Stijn is niet uit zichzelf weggelopen. Hijgend grijpt ze zich vast aan een hek. Haar knieën weigeren dienst.

Meteen flitsen er nieuwsberichten door haar hoofd. Vermist, ontvoerd, vermoord. Er verdwijnen weleens kinderen, maar altijd ver weg en nooit had Susan verwacht dat zoiets zou gebeuren in het buurtspeeltuintje in Almere-Buiten. Haar gedachten schieten wild heen en weer. Politie bellen. Nee, Hugo. Eerst Hugo, dan de politie.

Het kan niet. Het kán gewoon niet. Johnny is dood. Ze heeft hem zo hard met die duikfles op zijn hoofd geslagen. Hij is nooit teruggekomen. In zijn eentje bewusteloos in de zee had hij geen enkele overlevingskans.

Ze laat het hek los en begint terug te rennen naar huis. Binnen pakt ze haar mobiele telefoon. Eerst moet ze Hugo bellen, ze wil dat hij hier is als de politie komt.

Er is een bericht.

Ze kent het nummer niet en meteen weet ze van wie het is. Het is een MMS, een fotobericht dat ze sinds kort kan ontvangen omdat ze van Hugo een iPhone heeft gekregen. Ze opent het bericht.

Eerst weet ze niet waarnaar ze kijkt. Het is een papiertje waar van alles op staat.

Een tweede bericht komt binnen. Susan opent het meteen.

"Hij is van mij. Als je de politie inschakelt, is hij dood. Wacht op instructies."

Ineens weet ze wat ze net heeft gezien. Ze opent de foto opnieuw en ziet het staan.

Probability of Paternity = 99,99%

Ze hapt naar adem. Haar telefoon glijdt uit haar hand en klettert op de grond, maar dat merkt ze niet eens. Ze moet in het scenario van een foute film terechtgekomen zijn, of anders zit ze midden in een nachtmerrie. Haar oren suizen en ze voelt klam zweet op haar rug prikken. Haar hart dreunt zo hard dat het bonzen ervan lijkt te weerkaatsen tegen de binnenkant van haar schedel.

De inhoud van het bericht kan haar niet schelen. Of het waar is ook niet. Daar gaat het nu allemaal niet om. Het enige wat telt is Stijn.

De angst maakt een soort oerkracht in haar los. Ze weet heel zeker dat als Johnny nu voor haar zou staan, ze hem met haar blote handen zou vermoorden. En nu echt.

Geen politie, sms'te Johnny. Susans vingers zweven radeloos boven de toetsen van haar mobiele telefoon. Als ze de politie niet belt, is Stijn in gevaar. Als ze wel belt ook.

Ze heeft de één al ingetoetst, maar bedenkt zich dan en belt Hugo.

'Suus, ik bel je zo even t...'

'Nee!' schreeuwt ze. 'Niet ophangen!'

Hugo klinkt meteen gealarmeerd. 'Jezus, wat is er aan de hand?'

'Stijn! Hij is weg! Johnny heeft hem...'

'Wát zeg je?' onderbreekt Hugo haar. 'Wat is er met Stijn en wie is Johnny? Dat is toch niet die gozer...'

'Ja, dat is hem.' Susan merkt nauwelijks dat ze huilt. 'Hij is terug en nu hij heeft hij Stijn ontvoerd!'

'Susan doe even normaal!' schreeuwt Hugo. 'Waar heb je het in godsnaam over?'

'Johnny is teruggekomen naar Nederland en hij heeft Stijn ontvoerd! Je moet nu naar huis komen!'

'Johnny is dood!'

'Nee, dat is hij niet.'

Hugo hijgt als hij vraagt: 'En waarom zou hij Stijn willen ontvoeren?'

'Omdat hij... Ik ken hem van vroeger.' Het kan haar niks meer schelen dat haar hele verleden nu bekend wordt, en dat Hugo erachter komt dat ze al die tijd tegen hem heeft gelogen. Al gaat hij bij haar weg, het enige wat telt is Stijn.

'Suus, ik begrijp er geen flikker van!' Hugo's stem is een mengeling van angst en woede.

'Hij krijgt geld van mij en dat heb ik hem nooit gegeven.' Ze praat gehaast en struikelt over haar woorden. 'Hij wil dat geld terug en nu...'

'Hoeveel?'

'Weet ik veel! Huug, je moet naar huis komen.'

'Ik kom er nu aan. Jij belt de politie.'

'Johnny zegt dat hij Stijn vermoordt als we de politie bellen.'

Hugo denkt een paar seconden na. 'Wacht op mij. Ik kom er nu aan.'

Hij hangt op en Susan raakt in paniek. Ze kan hier niet zitten wachten tot Hugo er is. Ze moet iets doen.

Nadia! Ze moet haar bellen. Ook al heeft ze geen contact met Johnny en wenste ze hem dood, de kans bestaat dat ze weet hoe het ervoor staat met haar broer. Het is de enige mogelijkheid die Susan kan bedenken. En één mogelijkheid geeft haar in elk geval een heel klein beetje houvast.

Ze klapt haar laptop open en surft naar Facebook. Tussen haar oude berichten vindt ze het nummer van Nadia. Ze grijpt haar mobiel en toetst het in.

Na twee keer wordt er opgenomen. 'Nadia.'

Voor het eerst sinds acht jaar heeft Susan haar vriendin aan de telefoon. Haar stem is niets veranderd, net als haar afgemeten intonatie. Allerlei herinneringen spoelen als een tsunami door haar hoofd. Ze ziet de Nadia van acht jaar terug voor zich, met een sigaret in haar ene en pistool in haar andere hand. Gierend van de lach terwijl ze deed alsof ze Susan neerschoot. Het wapen was niet geladen. Susan kan niet geloven dat ze er zelf net zo hard om moest lachen. Het was vast vanwege een grap, maar die herinnert ze zich niet meer. Ze kan nu niet één grap bedenken die leuk genoeg zou zijn om een pistool op iemand te richten.

'Met Susan', zegt ze met onvaste stem.

Ze overvalt Nadia. Er komt geen antwoord.

'Ik heb je hulp nodig', zegt Susan.

'Alweer?'

'Johnny heeft mijn kind ontvoerd.'

Ze hoort dat Nadia diep ademhaalt. 'Johnny was toch dood?'

'Nee', zegt Susan geërgerd. 'Dat is hij niet. Hij heeft mijn kind en ik moet weten waar hij uithangt.'

'Ik heb al jaren geen contact meer met Johnny na wat die lul me geflikt heeft, dus ik kan je niet helpen.'

'Je moet me helpen!' roept Susan radeloos. 'Jij kent hem, jij kunt te weten komen hoe het kan dat hij ineens is opgedoken en wat hij wil.'

'Johnny is een wonder', zegt Nadia emotieloos. 'Ik hoop voor je dat je hem niet boos hebt gemaakt.'

'Wat moet ik doen?' fluistert Susan. De angst kruipt als vergif door haar aderen en legt haar systeem lam. Ze zakt op haar knieën op de vloer en blijft zo zitten. Trillend. Wachtend tot Nadia iets zegt, maar het blijft stil.

'Wat moet ik?' herhaalt Susan haar vraag, misschien nog wel meer voor zichzelf dan voor Nadia.

'Ik kan je niet helpen.' Zonder nog iets te zeggen hangt Nadia op. Susans adem stokt. Het voelt alsof iemand haar keihard in haar maag heeft getrapt, waardoor ze bijna geen lucht meer krijgt. Ze slaat voorover en uit haar keel ontsnapt een rauwe kreet, die eindigt in een snik.

Ineens is ze terug in Egypte. Ze proeft het zout van het water dat ze in golven binnenkrijgt. Ze voelt het gewicht van Johnny die haar naar beneden probeert te drukken. Haar rib, die inmiddels weer mooi genezen is, begint te kloppen en ze kan nog het gevoel terughalen van het stalen trappetje waaraan ze zich in uiterste doodsnood vastklemde. En dan de loodzware duikfles. Het lukte haar amper om de fles te pakken en in de lucht te krijgen, zo zwaar. Ze herinnert zich dat ze bot hoorde kraken toen het grijze staal op Johnny's schedel knalde, maar misschien was dat niet zo. Maar het bloed was wel echt, net als de kreet die aan Johnny's keel ontsnapte. Hij zonk naar de bodem, slap en levenloos.

Maar niet dood.

Ze had het af moeten maken, het duikmes moeten pakken en zichzelf ervan verzekeren dat hij haar nooit meer iets aan zou doen.

Dat hij nooit was gevonden had haar niet verwonderd. De Rode Zee was druk bevaren, hij kon in de stroming van een boot kilometers uit de kust gedreven zijn en daar door de haaien zijn verslonden. Hij kon zelfs naar het zuiden gedreven zijn en als onbekende in Eritrea uit het water zijn gehaald. Of Djibouti. Geen landen met een vlekkeloos functionerend politienetwerk dat zich bezig kon houden met aangespoelde buitenlanders. Susan wilde zelfs nog geloven dat hij gewoon was vergaan, ergens in de diepten van de zee.

Maar hij moest gered zijn. Er varen schepen in dat gebied, vooral jachten die toeristen vervoeren voor duiktochtjes. Maar als hij door zo'n schip was opgepikt, was zijn terugkeer zeker nieuws geweest.

Als Johnny door een vrachtschip is opgepikt kan het zijn dat hij niet naar Hurghada is gebracht en dat hij uit de publiciteit is gebleven. De kans is minuscuul, maar het is een mogelijkheid.

Ze pakt haar telefoon weer en herleest het berichtje. Het nummer kent ze niet. Natuurlijk niet. Het is waarschijnlijk een goedkoop prepaid telefoontje dat allang in de gracht ligt. Johnny heeft er al honderden, zo niet duizenden versleten. Ze weet dat het geen enkele zin heeft om het nummer te bellen, maar toch doet ze het. Er wordt niet opgenomen.

17

MET HOGE SNELHEID RIJDT EEN AUTO DE STRAAT IN. Susan rent naar de keuken en ziet hoe Hugo zijn BMW schuin op de stoep zet.

Ze rukt de voordeur open, net voor hij de sleutel in het slot steekt.

'Heb je iets gehoord?' is het eerste wat Hugo roept. Hij pakt Susan bij haar bovenarmen. 'Is er nieuws?'

Susan rukt zich los en is met twee stappen in de kamer. Haar hart bonkt. 'Alleen dit sms'je.'

Ze pakt haar telefoon, die Hugo uit haar handen rukt. Susan heeft de DNA-test verwijderd.

Hugo's blik vliegt over het berichtje. 'Hij is van mij...' zegt hij dan. 'Wat bedoelt hij daarmee?'

'Dat hij hem heeft natuurlijk. Dat Stijn bij hem is. Hij gaat geld eisen, dat kan niet anders.' Susan voelt de paniek weer in golven over zich heen komen. 'We hebben nooit genoeg geld om hem te kunnen betalen.'

Hugo legt de telefoon op tafel en pakt Susan bij haar polsen. 'Rustig blijven. We moeten goed nadenken. Waarom wil Johnny geld hebben?'

'Mijn vader heeft geld van hem geleend', biecht Susan dan op. Het kost haar geen enkele moeite om de feiten die ze zolang achter heeft gehouden, in één keer op tafel te gooien. 'Ik weet niet waarom, maar blijkbaar ging het niet goed met het café en had hij geld nodig. Johnny was in die tijd een succesvol crimineel en verdiende geld als water met drugs- en wapenhandel. Hij kwam vaak in het café en zegt dat hij papa toen twee ton in guldens heeft geleend. Ik weet niet of het waar is. Misschien wel. Misschien wist mama het ook wel en pleegde ze daarom zelfmoord.'

Hugo kijkt haar aan met een mengeling van ongeloof en groeiende angst. Hij heeft altijd gedacht dat haar moeder een auto-ongeluk had gehad, en nooit heeft hij kunnen vermoeden dat Susan banden in de onderwereld heeft gehad. Susan ziet dat zijn handen licht trillen. Maar hij weet in elk geval uiterlijk kalm te blijven. 'Dus hij wil ongeveer een ton', zegt hij met een stem die hoger klinkt dan normaal.

'Ik weet het niet!' Susan begint door de kamer te ijsberen. 'Ik denk dat hij meer zal vragen, hij wil ook wraak. Jaren geleden heb ik hem zomaar in de steek gelaten.'

Hugo draait zich met een ruk naar hem om. 'Hoe bedoel je?'

Susan wil nu eerlijk zijn, wat de consequenties daarvan ook zijn. Het interesseert haar niet. Hugo moet de waarheid weten.

'Toen papa en mama allebei dood waren, kwam ik in Johnny's wereld terecht. Hij zorgde voor me als de oudere broer die ik niet had. Hij zei niets over die schuld, in die tijd bulkte hij van het geld. Ik ging mee in zijn levensstijl, zijn vrienden werden mijn vrienden. Ik deed dingen die verboden waren, drugshandel enzo. Ik voelde me er niet goed bij, maar het leverde geld op. Tot Johnny een diamantenroof plande en ik mee moest. Ik wist dat er slachtoffers zouden vallen, misschien zou ik zelf wel iemand moeten doodschieten. Toen ben ik eruit gestapt en ben ik een nieuw leven begonnen in Almere.'

Hugo wrijft over zijn voorhoofd. 'Heb je Johnny ooit nog gezien voor je hem in Egypte tegenkwam?'

Heel even aarzelt Susan. 'Nee', liegt ze dan. 'Nooit meer.'

'Waarom zat hij daar?'

'Ik weet het niet, maar hij verdiende zijn geld met veel risico's. Misschien een verkeerd gelopen deal, of misschien heeft hij de verkeerde mensen kwaad gemaakt. In elk geval is hij zijn geld en zijn status kwijt. Hij komt zijn oude schuld opeisen.'

'We moeten de politie erbij halen', zegt Hugo vastberaden. 'We nemen het op tegen iemand die veel sterker is dan wij. Dat kunnen we niet alleen.'

'Hij zegt dat hij Stijn vermoordt als we de politie bellen!' roept Susan. 'Ik weet zeker dat hij het meent.'

Hugo ziet inmiddels bijna grauw van angst. Zijn handen heeft hij om de leuning van een van de eetkamerstoelen geklemd, zo hard dat zijn knokkels wit zijn. Om zijn mond ligt een verbeten trek. 'Ik bel Bart', zegt hij dan. 'Dit kunnen we niet alleen oplossen.'

Susan herinnert zich dat Bart afgelopen weekend iets

zei over een opdracht in het buitenland. Ze weet niet meer precies wanneer.

Hugo zet zijn telefoon op de speaker. Hij gaat over met een rare, hoge toon. Bart is inderdaad niet in Nederland.

Hij neemt op. 'Hé, Huug. Kan ik je later even terugbellen? Ik zit in Ierland.'

'Nee!' roept Hugo. 'Ik heb je hulp nodig. Nu!'

'Jezus man, wat klink je raar. Is er iets aan de hand?'

'Ja. Kun je praten?'

Susan wringt haar handen samen terwijl Hugo vertelt dat Stijn is ontvoerd en dat ze weten wie erachter zit. Hugo blijft veel rustiger dan zij. Haar hart hamert de hele tijd in haar keel en het liefst wil ze het uitschreeuwen, ook al heeft dat geen enkele zin.

'Jezus', zegt Bart zacht als Hugo het verhaal heeft gedaan. Hij heeft wel verteld dat Johnny een kennis van vroeger van Susan is, maar niet dat Susan zich een tijdje in zijn kringen heeft begeven.

'Wat wil hij precies?'

'Dat weten we niet, maar het zal in elk geval meer dan een ton zijn.'

'Ik ga meteen een vlucht naar Nederland proberen te regelen', zegt Bart. 'Met een beetje geluk kan ik vanavond terug zijn.'

Vanavond. Het klinkt Susan als een eeuwigheid in de oren. Het is net één uur 's middags geweest. Stijn is al twee uur weg. Als ze op Bart moeten wachten voor ze actie kunnen ondernemen, kan het wel middernacht worden voor ze eens iets kunnen doen. Tegen die tijd kan Johnny overal zijn.

'Zoveel tijd hebben we niet!' roept ze. Door de speaker kan Bart haar horen.

'Bel de politie', zegt Bart dan. 'Jullie kunnen het met z'n tweeën niet tegen zo'n zware crimineel opnemen. Wat hij wil, is geld. Als hij Stijn vermoordt, krijgt hij niets en dat weet hij.'

Susan schudt wild met haar hoofd. 'Je hebt het over mijn kind, Bart! Ik kan hem niet nog meer in gevaar brengen dan hij al is. De politie kan er alleen bij betrokken worden als ze ons het geld gaat geven, anders niet.'

'Ze zullen je het geld niet geven', zegt Bart. 'De politie betaalt geen losgeld. In ontvoeringszaken is het altijd de familie die betaalt.'

'Dan geen politie', zegt Hugo vastbesloten. 'Als we Johnny boos maken, zijn we alleen maar verder van huis.'

'Oké', zegt Bart. 'Ik begrijp het. Hugo, ik stuur je zo meteen een link naar software op internet plus een instructie. Eenvoudig is het niet, maar met die software kun je een programma maken waarmee je mobiele telefoons kunt uitlezen. De politie gebruikt ook zoiets. Alleen professionals kunnen het programma maken, zelf weet ik niet hoe het moet, maar ik heb de link van een vriend gekregen. Met jouw ICT-ervaring moet je het wel kunnen.'

Susan haalt diep adem. Eindelijk iets concreets.

'Je moet wel in contact staan met de telefoon van Johnny', zegt Bart. 'Anders kun je het signaal nooit uitlezen.'

Meteen wordt Susans hoop weer de bodem ingeslagen. Johnny heeft waarschijnlijk talloze telefoons en hij neemt niet op als ze belt.

Maar Hugo zegt: 'Stuur het me meteen. Ik weet zeker dat het lukt om dat programma na te maken.'

Bart belooft het nogmaals en daarna verbreekt Hugo de verbinding. Hij rent naar boven, naar de studeerkamer waar hij een paar laptops heeft staan. Susan grist haar telefoon van tafel en holt achter hem aan. Nog voor ze boven is, verstijft ze.

Haar telefoon trilt in haar hand en in het schermpje verschijnt de melding dat ze een nieuw bericht heeft. Een ander nummer, maar het is van Johnny.

Er zit weer een foto bij. Susan gilt als ze hem opent. Ze ziet Stijn met doodsangst op zijn gezicht. Tegen zijn slaap drukt de loop van een pistool.

Haar telefoon valt uit haar handen. Ze begint te huilen. Meteen staat Hugo naast haar.

'Wat is er?' Hij schudt haar door elkaar als ze geen antwoord geeft. 'Susan, wat is er? Jezus, kom mee.'

Blijkbaar ziet ze er verschrikkelijk uit, want Hugo ondersteunt haar naar de slaapkamer en laat haar op het bed plaatsnemen. 'Wat is er?' herhaalt hij zijn vraag.

Susan doet haar mond open, maar er komt geen geluid uit. Hugo rent naar de gang en pakt de telefoon. Het volgende moment staat hij weer naast haar.

'Hij wil twee ton! Hij sms't dat hij twee ton wil.'

Susan springt overeind. 'O mijn god, hij vermoordt hem! Hij maakt hem dood! Wat moeten we doen?' Ze klampt zich aan Hugo vast. 'Wat moeten we doen?'

'Rustig', beveelt Hugo haar. Hij pakt haar vast en zet haar terug op het bed. 'Je moet rustig worden, Susan. Hier help je Stijn niet mee.' Hij slaat zijn armen om haar heen en trekt haar stevig tegen zich aan.

'Hoe komen we aan twee ton?' vraagt Susan met trillende stem.

Hugo laat haar los en gaat bij het raam staan. 'Twee ton...' zegt hij, alsof hij voor zichzelf op een rijtje wil krijgen hoeveel dat is. Dan draait hij zich om en kijkt Susan aan. 'We hebben bijna twintigduizend euro spaargeld, en als we de auto verkopen kunnen we nog eens dertigduizend krijgen. Dat is vijftigduizend euro.'

'We moeten een lening afsluiten', zegt Susan.

Hugo schudt zijn hoofd. 'Die gaan we nooit krijgen. Niet meer dan een paar duizend euro, hooguit.'

'Je kunt toch een lening op het bedrijf afsluiten?'

'Het bedrijf heeft nog een lening bij de bank lopen', zegt Hugo. 'De bank heeft bijna tachtigduizend euro geïnvesteerd, die willen ze eerst terugzien voor ze ook maar een euro geven.'

'Kunnen we die tachtigduizend niet uit het bedrijf halen?'

'Nee, het is geen kwestie van computers verkopen. Dat geld zit vooral in mankracht.'

Susan springt op en loopt door de kamer. 'Er moet toch een manier zijn... Je ouders?'

Hugo aarzelt. 'Ze hebben onlangs het laatste deel van hun hypotheek afbetaald. Meer dan twintig- of dertigduizend euro hebben ze niet. Nooit genoeg om aan twee ton te komen. En onze vrienden hebben ook niet zo veel geld.'

'We kunnen het toch vragen aan je ouders?' dringt Susan aan. 'Oude mensen hebben altijd wel geld achter de hand.'

Hugo schudt zijn hoofd. 'Ik heb mijn vader twee jaar geleden geholpen met zijn belastingaangifte. Ik weet wat ze hebben en het is niet genoeg.'

'Dan moeten we het huis verkopen', zegt Susan stellig.

'Ik zit er ook aan te denken, maar het heeft geen zin. Wat dat oplevert, gaat linea recta naar de bank. We hebben nog nauwelijks iets afbetaald. En als we de hypotheek zouden willen verhogen, gaat daar minstens vier weken overheen.'

'Maar wat dan?' roept Susan. Ze voelt de paniek weer opkomen. Ze pakt haar telefoon, hoewel ze weet dat ze niet zou moeten kijken. De foto van Stijn met het pistool op zijn hoofd, de angst in zijn ogen, ze begint weer te huilen.

'We moeten iets doen!' roept ze snikkend. 'We moeten snel zijn, want Johnny is overal toe in staat. Als we het geld niet bij elkaar krijgen, dan... dan...'

Hugo slaat zijn armen stevig om haar heen. 'Dan vinden we wel een manier', zegt hij stellig.

Susan rukt zich los. 'We komen te laat!' schreeuwt ze. 'We moeten nú naar hem toe!'

'Geef me heel even. Ik moet dat programma van Bart maken. Ik doe wat ik kan.'

Hij verdwijnt naar de studeerkamer en Susan rent achter hem aan. Hugo klapt twee laptops tegelijkertijd open en begint met de muis te klikken.

***

Hij drukt zijn handen tegen zijn ogen, het koude staal van het wapen in zijn hand duwt tegen de zijkant van zijn hoofd. Dat gekrijs, hij kan er niet meer tegen. Hij springt overeind en grijpt het kind vast, maar dat maakt het gejank alleen maar erger. Hij duwt hem in de handen van zijn compagnon. Onhandig staat ze met het kind in haar handen Hij gromt wat, maar zij bijt hem toe dat hij zelf maar moet proberen het kind stil te krijgen.

Hij draait het wapen rond in zijn hand en richt de loop op het kind. Zijn vinger speelt met de trekker, maar hij wacht. Het zou aan alles een eind maken, ook aan wat hij zou krijgen. Het geld is het wachten waard, maar niet het aanhoudende gekrijs.

Hij pakt zijn telefoon en loopt naar buiten, de duisternis in. Hij belt een nummer. Er wordt opgenomen, maar niets gezegd. Een minuut later is het geregeld, hij kan meteen komen. Wat hij heeft besteld weet hij niet, en ook niet of het kind het zal overleven. Dat is dan jammer. Hij houdt het niet meer uit.

***

18

'IK HEB KOFFIE NODIG. IK KAN NIET MEER HELDER DENken.' Drie uur lang heeft Hugo onafgebroken naar het scherm gestaard. Susan heeft het gevoel dat ze uit elkaar knalt als ze nog langer moet wachten. Ze heeft het gevoel dat haar gedachten in cirkeltjes rondgaan. Waar kunnen ze het geld vandaan halen? Een lening bij de bank is geen optie. Bert en Katrien hebben niet veel, maar wel wat. Zouden ze dat willen geven? Ja, natuurlijk! Bart en Rosanne? Ze herinnert zich dat Rosanne vertelde dat hun ivf-pogingen niet meer door de verzekeraar worden vergoed. En dat het hard gaat met hun spaargeld. Maar misschien zouden zij wel een lening kunnen krijgen?

Hugo zegt dat het niet genoeg is, dat twee ton veel meer is dan ze in een paar dagen tijd bij elkaar kunnen lenen. En dat ze zelf moeten ingrijpen. Maar hoe? Ze weten niet eens waar Johnny zit. Het meest voor de hand liggende is dat hij ergens in Amsterdam zit, maar Susan heeft geen idee waar. Het kan op zo veel plekken zijn, bij oude vrienden of mensen die nog bij hem in het krijt staan. Ze is er te lang uit om weten wie dat zijn.

Susan holt naar beneden om koffie te zetten. Ze pakt twee koffiepads en legt ze in de Senseo. Daarna zet ze er twee kopjes onder en drukt op de knop. Het apparaat komt brommend tot leven.

De geur doet haar kokhalzen en nog voor haar kopje helemaal vol is, spoelt ze de inhoud weg. De rest valt druppend in het lekbakje. Ze roert suiker door Hugo's koffie en loopt terug naar boven.

Het zweet staat op zijn voorhoofd, in het benauwde kamertje is het bloedheet. Het raam zit dicht en blijft dat ook.

'Heb je al iets?' vraagt Susan.

Hugo geeft geen antwoord, hij hoort haar vraag niet eens. Zijn telefoon gaat en ze schrikken allebei. Het is Bart.

Hugo neemt op en zet de telefoon op de speaker. 'Bart', zegt hij gespannen.

'Is het gelukt?'

'Nee, nog niet. De software werkt, maar het is alleen maar een bouwsteen voor het hele programma. Het is behoorlijk ingewikkeld.'

'Ja, ik weet het. Dit is het enige wat ik heb, ooit gekregen van iemand. Ik kan je er niet mee helpen.'

'Begrijp ik. Ik denk dat ik nog vier of vijf uur nodig heb om het klaar te krijgen.'

'En dan?'

Hugo is afgeleid door iets wat op zijn scherm gebeurt en

Susan neemt het gesprek over. 'Dan proberen we contact te krijgen, natuurlijk.'

'Dat begrijp ik, maar wat is je plan? Zomaar naar een crimineel toe gaan en je kind terugeisen, dat lijkt me geen goed idee.' Hij is even stil. 'Zal ik proberen mensen te regelen die mee kunnen gaan?'

Hugo schudt wild zijn hoofd. 'Nee, niemand mag hiervan weten', roept hij. 'Hoe meer mensen het weten, hoe gevaarlijker het wordt. Als Johnny er lucht van krijgt dat er meer mensen bij betrokken zijn, doet hij Stijn iets aan.'

'Wacht tot morgenochtend', zegt Bart op overredende toon. 'Ik kan voor vanavond geen vlucht meer krijgen, maar morgen kan ik om elf uur in Nederland zijn.'

'Dat is veel te laat', zegt Hugo vastbesloten. 'Zodra we weten waar hij zit, gaan we erheen. Als alles goed gaat, is dat vanavond al.'

'Maar je kunt niet...' begint Bart weer. Hugo kapt hem af.

'Ik heb een wapen nodig.'

Susans oren beginnen te suizen als hij dat zegt. Haar mond wordt kurkdroog.

Bart reageert kalm. 'Wacht nou tot ik er ben, Hugo. Ik kan je helpen. Ik weet hoe ik een wapen moet gebruiken.'

'Dat kan ik ook wel', gromt Hugo. 'Er is geen tijd om te wachten. Als je me niet aan een wapen helpt, ga ik zelf op zoek.'

'Oké, ik help je. Geef me een halfuur.'

Bart hangt op. Hugo drinkt met drie teugen zijn koffie weg en concentreert zich weer op de computer.

Ze schrikken allebei op als de huistelefoon gaat. Johnny! Susan reikt met een trillende hand naar de handset van de telefoon. Het is Katrien, ziet ze in het schermpje.

'Je moeder.'

Hugo schudt zijn hoofd. Susan neemt niet op, maar blijft naar het schermpje kijken tot Katrien haar poging staakt. Als ze de telefoon teruglegt, merkt dat ze haar hoofd warm is en haar handen klam. Hugo kijkt niet op van zijn scherm.

'We moeten een plan maken', mompelt hij even later, meer tegen zichzelf dan tegen Susan.

'Wat voor plan?'

'Als we weten waar hij zit, moeten we een plan hebben hoe we het aanpakken. We staan er met z'n tweeën voor, we kunnen niet onvoorbereid naar hem toe gaan.'

Susan knikt. Ze weet waartoe Johnny in staat is. Hij heeft zichzelf ongetwijfeld goed bewapend en zal niet aarzelen die wapens te gebruiken als hij merkt dat ze zonder geld komen. No way dat hij Stijn zonder slag of stoot zal meegeven.

'Wat wil je doen?' vraagt ze aan Hugo. 'Wil je iemand meenemen, zoals Bart zei?'

Hij kijkt op. 'Nee, maar we moeten wel bedenken hoe we het aanpakken. Wat als hij midden in Amsterdam zit? Het is lastig om zomaar een huis binnen te lopen.'

'Hebben wij een koevoet?'

Hugo schudt zijn hoofd. 'Nee. Maar die kunnen we wel kopen. Maar dan nog, kun je zomaar een deur openbreken zonder dat het iemand op straat opvalt?'

'Misschien moeten we toch de politie bellen', zegt Susan. 'Maar pas als we voor de deur staan.'

Hugo kijkt aarzelend. 'Wat als Johnny die ziet aankomen?'

Ineens schiet Susan iets te binnen. Dat ze daar verdomme niet eerder aan heeft gedacht!

'Mondatjev', zegt ze. 'Ik moet hem bellen.'

Hugo kijkt vluchtig op. 'Wie is Mondatjev in godsnaam?'

'Een of andere Rus die boos is op Johnny.'

'Hoe weet je dat?' vraagt Hugo.

Susan schudt ongeduldig haar hoofd. 'Dat leg ik later wel uit. Ik ga proberen hem te bellen. Als ik Johnny's locatie aan hem doorgeef, komt hij ongetwijfeld. Maar dan moeten we Stijn wel weg hebben voor Mondatjev er is.'

Hugo kijkt Susan lang aan. Dan begint hij te knikken. 'Goed idee. Eigenlijk moeten wij Stijn meenemen en dan die Rus met Johnny laten afrekenen.'

'Precies.' Susan grijpt haar mobiele telefoon. 'Ik ga hem bellen.'

'Moeten we dan niet weten waar Johnny zit?'

'Dat komt later wel. Ik moet eerst met hem in contact zien te komen. Hij mag nog niet weten waar Johnny is, anders heeft hij ons niet meer nodig.'

Hugo knikt. Hij verdiept zich weer in zijn laptops. Met een trillende vinger tikt Susan op het scherm van haar eigen telefoon om het nummer van Mondatjev in haar contactenlijst op te zoeken.

Ze haalt diep adem voor ze hem belt. In haar hoofd probeert ze te oefenen wat ze moet zeggen, maar de zinnen lopen door elkaar en ze krijgt haar gedachten niet geordend. Ze hoort de telefoon overgaan.

Iemand neemt op, een man. 'Da?'

Susan likt aan haar droge lippen. 'Mondatjev?' vraagt ze schor.

'Wie is dit?' De man spreekt Nederlands met een zwaar Russisch accent.

'Ik moet Mondatjev spreken. Ik heb informatie over Johnny Korshikov.'

'Wie is dit?'

'Ik moet hem echt spreken. Ik weet waar Korshikov zit.' Dat laatste is niet waar, maar ze weet dat de Russen pas zullen happen als ze het gevoel hebben echt iets te krijgen.

'Wacht.'

De verbinding wordt verbroken. Susan kijkt naar de telefoon in haar hand.

'Wat zeiden ze?' vraagt Hugo gespannen.

'Niet veel. "Wacht." En daarna werd de verbinding verbroken.'

'Had je Mondatjev zelf aan de telefoon?'

'Ik denk het niet. Waarschijnlijk een loopjongen.' Zelf is Susan nooit met de Russische maffia in aanraking geweest, maar van Johnny weet ze zo'n beetje hoe het er in die kringen aan toe gaat. Hoge bazen als Mondatjev hebben loopjongens die allerlei klusjes moeten doen en zwaar op de proef worden gesteld. Pas als ze zich hebben bewezen, klimmen ze een heel klein stukje op de ladder. Het duurt jaren en jaren voor je iets voorstelt en bij het minste of geringste foutje lig je eruit.

Susan legt de telefoon op het bureau.

'Denk je dat ze terugbellen?' vraagt Hugo.

'Ik weet het niet. Ik hoop dat de schuld die Johnny heeft groot genoeg is, zodat ze hem willen pakken.'

Hugo knikt. Een paar minuten lang gebeurt er niets. Hugo tuurt naar de computerschermen. Susan wringt haar handen samen. Wat als Mondatjev niet belt? Zijn ze met z'n tweeën, zonder politie, sterk genoeg om Johnny de baas te zijn?

Als haar telefoon gaat verstijft ze. In het scherm verschijnt 'geblokkeerd'. Geen nummer. Ze neemt op.

'Hallo?'

'Wat wil jij?'

De zware stem, het duidelijke accent. Zonder dat ze hem ooit heeft gesproken weet Susan zeker dat ze Mondatjev aan de telefoon heeft.

'Ik wil mijn kind terug', zegt Susan. Ze heeft moeite zichzelf in bedwang te houden en niet te gaan schreeuwen. 'Johnny Korshikov heeft hem.'

'Het is niet mijn probleem.'

'Ik kan je vertellen waar hij zit. Het enige wat ik wil is mijn zoon terug, daarna is Johnny voor jou. Ik weet dat er een schuld open staat. Ik weet dat jij hem wilt vinden.'

Het is lang stil. Susan haalt bevend adem. Gelooft hij haar?

'Wat wil jij?' luidt dan opnieuw zijn vraag.

'Dat jullie er zijn als ik mijn zoontje terug heb. En dan kunnen jullie met hem afrekenen.'

'Waar is hij?'

Ze aarzelt. Moet ze nu toegeven? Ze kijkt Hugo hulpzoekend aan, maar hij gebaart dat ze door moet praten.

'Nog niet.' Susan weet dat ze hoog spel speelt, maar het kan niet anders. Ze denkt razendsnel na. 'Ik neem contact op zodra het kan, met een tijd en een plaats. Per sms.'

Er komt geen antwoord. Susan hangt op. Ze hijgt van de spanning.

'Ja!' roept Hugo uit. Hij slaat met zijn vuist op het bureau. 'Ik heb het.'

Susan veert overeind. 'Het programma?'

Hugo knikt wild. 'Ja, het moet nu werken.' Hij typt een rijtje cijfers in en pakt vervolgens zijn mobiele telefoon. Hij belt Susan en tuurt naar zijn scherm.

'Kun je nu zien waar mijn telefoon zich bevindt?' vraagt Susan. Ze gaat achter Hugo staan en buigt zich naar voren zodat ze het scherm kan zien. Inderdaad ziet ze een kaartje, waarop een blauw balletje oplicht ter hoogte van hun huis.

'Nu moeten we alleen als de wiedeweerga zorgen dat we in contact komen met Johnny', zegt Hugo.

'Kun je dan precies zien waar hij zit?'

'Ja, zijn mobiele telefoon zendt een signaal uit naar de zendmast. Dat signaal kan ik onderscheppen en aan de hand daarvan bepaalt dit programma heel precies waar iemand zit.'

'Moet hij daarvoor eerst bellen of gebeld worden? Een telefoon zendt toch ook straling uit als hij alleen maar aan staat?'

Hugo knikt. 'Ja, maar dan is het signaal te zwak. Er moet meer activiteit zijn voor je het signaal goed kunt oppikken.' Hij pakt Susans mobiele telefoon. 'Ik ga hem bellen.'

Susan knikt gespannen. Hugo zoekt het eerste nummer op dat Johnny heeft gebruikt om een sms te sturen. Hij voert het in in zijn computerprogramma en gebruikt daarna de telefoon om het nummer te bellen. Ingespannen tuurt hij naar het scherm, waar een zandlopertje aangeeft dat er naar het signaal op Johnny's telefoon wordt gezocht.

Hugo zet de telefoon op de speaker en vrijwel meteen klinkt er een piepje en een ingeblikte vrouwenstem die vertelt dat het nummer onbereikbaar is.

Susan voelt de hoop wegvloeien. 'Ik weet zeker dat hij heel veel telefoons heeft. Deze ligt natuurlijk allang ergens in een sloot. Hij gebruikt nooit twee keer dezelfde telefoon.'

Hugo bijt op zijn onderlip en schudt zijn hoofd. Er ligt een vastberaden trek rond zijn mond. 'Hij zal toch weer contact met ons moeten maken. En daarvoor heeft hij een telefoon nodig. Zodra hij dat doet, weten we waar hij zit.'

Hugo lijkt heel rustig, maar Susan ziet een spiertje boven zijn oog trillen. Zelf voelt ze de paniek in haar lichaam aanzwellen. 'Wat als dat nog dagen duurt?' Ze probeert te slikken, maar haar keel is dik. 'Hij wacht natuurlijk nog heel lang voor hij ons weer belt. Hij wil eerst zeker weten dat we het geld bij elkaar hebben. En Stijn...' Ze kan niet meer verder praten, ze huilt en schreeuwt tegelijk en ze voelt nauwelijks dat Hugo opstaat en haar vastpakt. Hij is sterker dan zij en houdt haar in een soort houdgreep, zodat ze haar armen niet meer kan bewegen. Uiteindelijk voelt ze zich rustiger worden, maar de beelden van Stijn blijven door haar hoofd schieten en maken haar razend en wanhopig tegelijk.

'We vinden hem wel.' Hugo klinkt overtuigend. 'We zijn Johnny een stap voor. Het kan niet lang meer duren voor hij contact opneemt, hij wil zijn geld hebben.'

Susans blik valt op de klok. Het is half tien. 'Je moet weg', zegt ze. 'Nog een halfuur.'

Om tien uur op parkeerplaats De Hackelaar langs de A1, dat heeft Bart gezegd. Daar krijgt Hugo een wapen in ruil voor de twaalfhonderd euro die Susan net uit de pinautomaat heeft gehaald. Even leek het mis te lopen, omdat er een daglimiet van duizend euro gold, maar gelukkig hebben ze twee rekeningen en kon ze de andere tweehonderd euro ook nog opnemen. Ze moet er niet aan denken dat zoiets stoms als een pinautomaat de hele deal in de war zou sturen.

Ze weten niet van wie ze het wapen krijgen. Of wat voor soort het is. Het loopt via Bart. Hij heeft gezegd dat alles zichzelf zal wijzen.

'Ik ga mee', zegt Susan. 'Ik wil niet dat je alleen gaat.'

'Nee!' Terwijl Hugo de trap afloopt kijkt hij haar gealarmeerd aan. 'Jij moet hier blijven voor als Johnny contact opneemt. Dan moet je zijn nummer in het programma invoeren en kijken waar hij zit.'

'Laat mij dan gaan. Jij moet hier blijven, bij de laptop. Straks neemt Johnny contact op.'

'Geen sprake van', zegt Hugo vastbesloten. 'Ik laat jou dit niet doen. Veel te gevaarlijk, je moet ook aan de baby denken.' Heel even legt hij zijn hand op haar buik. 'Ik red het wel in mijn eentje. Ik ben binnen een uur terug. Bel me als er iets is. En je weet hoe het programma werkt, hè?'

Hugo heeft dat net uitgelegd, maar Susan heeft het gevoel dat ze alles alweer is vergeten. Hugo stopt zijn mobiele telefoon in de zak van zijn jas en geeft Susan een kus op haar voorhoofd. Susan voelt zijn handen trillen als hij even in haar schouder knijpt. 'Tot zo.'

Als de deur achter Hugo is dichtgevallen is het angstaanjagend stil in huis. Susan loopt naar keuken, maar weet niet wat ze er moet en gaat dan toch de trap op. Het begint te schemeren en ze knipt het licht op de studeerkamer aan. Dan gaat ze aan het bureau zitten en wekt met een klik van de muis Hugo's laptop tot leven. Ze durft verder nergens op te klikken, bang dat ze het programma verstoort.

Plotseling zit ze als verstijfd. Bij de achterdeur klinkt gerommel. Hugo kan het niet zijn, hij is pas net een paar minuten geleden weggegaan. En bovendien is de poort op slot en heeft hij geen sleutel bij zich.

Op haar tenen sluipt Susan naar beneden. Dan opent ze voorzichtig de deur naar de kamer. Het is donker in huis, ze kan vaag de omtrek van meubels onderscheiden maar meer ook niet. Voorzichtig steekt Susan haar hoofd om de hoek van de deur en blijft staan.

Ze hoort niets.

Susan moet een kreet inhouden als het geluid ineens weer klinkt. Een geschraap, alsof iemand met iets scherps langs de deur gaat. Ze trekt zich snel terug op de gang en probeert haar razende hartslag onder controle te krijgen.

Ze hoort iets kraken. Een scharnier? Ze probeert te ontdekken of ze een windvlaag voelt die verraadt dat de deur open is, maar ze voelt niets.

Voorzichtig zet ze weer een stap richting de huiskamer. De tussendeur staat nog open.

Ze schiet bijna de lucht in van schrik als boven haar mobiele telefoon gaat. Even verkeert ze in tweestrijd, dan holt ze de trap op. Ze kent het nummer niet. Met een trillende vinger neemt ze op.

'Hallo?'

Ze pakt met haar andere hand een pen en trekt wild een schrijfblok naar zich toe. Hugo's koffiekopje valt om en het laatste restje koude koffie sijpelt over het bureau naar de grond. Susan merkt het nauwelijks.

'Susan.'

Haar adem stokt als ze zijn stem hoort. Ze vliegt overeind en rent naar Stijns kamer, waar ze het raam open rukt. Er staat niemand voor de deur. Een grote zwarte kat kijkt op en schiet dan geschrokken over de schutting.

'Johnny.' Snel holt ze terug naar het bureau. De pen glijdt twee keer uit haar klamme hand, maar dan slaagt ze erin het nummer waarmee hij belt over te schrijven op een blaadje. Hij is blijkbaar niet bedacht op het computerprogramma, anders zou hij de nummermelding wel uitzetten. Het is een teken van zijn grenzeloze arrogantie, hij gaat ervan uit dat Susan door zijn bevel de politie niet durft in te schakelen.

'Voor twee ton krijg je hem heelhuids terug. Nou ja, als hij tenminste niet doodgaat van het slaapmiddel dat ik hem heb gegeven.'

Susan krijgt een waas voor haar ogen. 'Klootzak!' gilt ze. 'Je moet met je poten van mijn kind afblijven! Als je hem iets aandoet, vermoord ik je!'

'Rustig aan', gromt Johnny. 'Hij slaapt alleen maar. Dat gekrijs, ik kon er niet meer tegen.'

'Waar ben je?' schreeuwt Susan. 'Geef mijn kind terug!'

'Twee ton.'

Ze haalt een paar keer diep adem om haar trillende lichaam onder controle te krijgen. Ze dwingt zichzelf helder na te denken. De waas verdwijnt voor haar ogen.

Ze typt de cijfers van Johnny's telefoonnummer in op de computer en drukt op enter. Het zandlopertje verschijnt weer.

'Je krijgt vierentwintig uur', zegt Johnny. 'Ik bel morgenavond met instructies.'

'Nee!' schreeuwt Susan. Hij mag niet ophangen, het zandlopertje staat nog in het scherm van de MacBook.

'Je hebt het aan jezelf te danken', zegt Johnny. 'Dan had je maar niet zo stom moeten zijn om te denken dat je zo makkelijk van mij zou winnen. Niemand kan van mij winnen, Susan.' Hij lacht boosaardig. 'Twee ton, vierentwintig uur.'

Dan hangt hij op. Susan vloekt, maar net op dat moment verschijnt er een blauw puntje op de kaart op het computerscherm. Susan kijkt ernaar en smeekt in gedachten dat ze Johnny lang genoeg aan de praat heeft gehouden om een goede plaatsbepaling te kunnen doen.

Het blauwe puntje begint te knipperen. Susan kijkt er vertwijfeld naar. Is dat goed of niet? Het puntje bevindt zich bij de Hollandse Brug, ergens op het strand. Hij is in de buurt! Dat is het eerste goede nieuws van vandaag. Even had ze gevreesd dat Johnny allang in het buitenland zat.

Ze wil Hugo bellen, maar het is net aan tien uur. Ze weet niet of hij al klaar is. Nerveus begint ze op haar nagels te kauwen.

Dan gaat haar telefoon ineens weer en ze schrikt zo erg dat het bonzen van haar hart pijn doet in haar keel. Het is Hugo.

'Hij heeft gebeld', zegt ze opgefokt als ze opneemt. 'En het systeem heeft het signaal opgepikt. Hij zit bij het strand in de buurt.'

'Welk strand?' Hugo schreeuwt bijna.

'Bij de Hollandse Brug.'

'Rij me tegemoet. Ik wacht op je op de parkeerplaats bij La Place langs de A6.'

'Nee, bij het strand. Dan zijn we veel sneller.'

'Ik wil niet dat je alleen daar naartoe rijdt', zegt Hugo streng. 'Je bent niet eens bewapend. Ik wel.'

Susan stelt verder geen vragen. 'Oké, ik kom eraan.'

Ze hangt op en grijpt de MacBook. Er zit een stick in die maakt ze dat overal op internet kunnen, heeft Hugo haar vanmiddag uitgelegd. Ze weten waar Johnny zit. Ze kunnen Stijn redden.

Ze rent naar buiten en springt in haar rode Fiat.

19

DE BMW REMT ZO HARD DAT ER STEENTJES ONDER DE wielen opspatten. Hij staat nog niet eens helemaal stil als Susan het portier opentrekt en in de auto springt. Hugo geeft meteen gas en Susan wordt tegen haar stoel gedrukt terwijl ze met trillende vingers probeert haar gordel vast te maken. Pas bij de derde poging lukt het.

'Waarheen?' roept Hugo, boven het geluid van de accelererende motor uit.

Susan klapt de MacBook open. 'Hier', wijst ze. 'De Gooimeerdijk op!'

'Laat kijken', beveelt Hugo. Hij rijdt de parkeerplaats af en werpt intussen een blik op het scherm. 'Waar zit hij?'

Susan wijst het aan. Hugo moet remmen voor een stoplicht en kan zijn aandacht nu helemaal op het computerscherm richten.

'Oké, je hebt gelijkt', zegt hij. Meteen daarna sprint het stoplicht op groen en geeft Hugo gas.

Ze knijpt zo hard in het handvat van de deur dat haar vingers pijn doen en haar knokkels wit zien in het zwakke schijnsel van de lantaarnpalen. Hugo trapt het gaspedaal flink in en haalt een auto in, die zich wel aan de maximumsnelheid houdt. Susan houdt haar adem in. Van de andere kant komt met hoge snelheid een tegenligger aan gereden. Hugo stuurt scherp naar rechts en net op tijd rijden ze weer op hun eigen weghelft. Susan zegt niets. Ze hebben geen tijd te verliezen.

Hugo houdt niet in voor een verkeersdrempel en remt nauwelijks af voor een rotonde. Binnen twee minuten nadert de volgende kruising. 'Rechtsaf!' schreeuwt Susan. Er komt een auto aan, maar Hugo geeft gas en stuurt de BMW er net voorlangs, de Gooimeerdijk-West op. De andere auto moet remmen.

Harder dan verantwoord is rijdt Hugo over de dijk richting de Zilverstrandweg. Ze racen voorbij een bord dat aangeeft dat je hier nog maar vijftig kilometer per uur mag en Hugo moet hard op de rem trappen in de daaropvolgende bocht. Een tegenligger die hen op het smalle weggedeelte nadert, schiet de berm in en toetert nijdig.

'Hier moet het zijn.' Susan tuurt op het scherm van de MacBook. Johnny's locatie is blauw. 'Of nee, wacht.' Ze klikt met de muis om het kaartje groter te maken. 'Shit, het is aan de andere kant van de A6.'

Pas nu ze in de buurt zijn kan ze goed op het kaartje zien hoe ze moeten rijden.

Hugo vloekt zacht. 'Op het kaartje leek het erop dat hij op het Zilverstrand zou zitten.'

Susan schudt hevig met haar hoofd. 'We moeten naar het Almeerderstrand. Onder de snelweg door. Rijd door dan!' Achter de auto spat de aarde op. Susan wordt heen en weer geslingerd als Hugo door de bochten scheurt. Hij trapt het gas nog wat dieper in en scheert voor een andere auto langs door de smalle doorgang onder het viaduct. Boven hen razen de auto's over de A6. Ze passeren het doseerstoplicht dat 's ochtends filevorming op de snelweg tegen moet gaan en dat nu oranje knippert. Hugo kijkt nauwelijks naar links als hij aan het eind van de weg rechtsaf de kruising opdraait. Gelukkig komt er niets aan.

Op het scherm ziet ze dat ze nu vlak bij het blauwe pijltje zijn, maar een spoorlijn belemmert hen er in één keer naartoe te rijden. Het naaldje van de snelheidsmeter kruipt weer omhoog als Hugo onder de spoorlijn door rijdt en de bocht nadert. Hij remt niet. Susan houdt haar adem in. Ze voelt hoe de auto naar rechts doorschiet als Hugo probeert te sturen en het volgende moment voelt ze een klap aan de zijkant van de auto. Er klinkt een knal.

'Godver!' vloekt Hugo luid.

Susan knijpt haar ogen dicht, maar de airbag springt niet open. Als ze haar ogen weer opendoet, ziet ze Hugo naar rechts kijken. Het elektriciteitshuisje waar ze tegenaan zijn geknald staat scheef. Misschien zit er een deuk in de auto, maar dat is het laatste waar ze zich nu druk om kan maken.

Hugo trapt het gaspedaal weer in en de auto protesteert even, maar schiet dan naar voren. Susan probeert zich ergens aan vast te grijpen, maar haar vingers tasten in het luchtledige. Ze begint te kokhalzen en knijpt haar ogen dicht. Alles draait om haar heen.

'Oké, we zijn los!' roept Hugo als de auto eindelijk stilstaat. Susan opent haar ogen weer. De neus van de auto staat de andere kant op, er nadert een ander voertuig. Hugo trekt de BMW in z'n achteruit en gooit het stuur om. Dan zet hij hem weer in de eerste versnelling en scheert rakelings langs het elektriciteitshuisje. Ze blijven de andere auto voor.

'Links hier!' schreeuwt Susan. 'We moeten richting het meer. Die blauwe pijl staat bijna in het water. Hij zit op het strand.'

Hugo stuurt de BMW rakelings langs een slagboom. Het is net of de auto achter hen de achtervolging inzet.

'Shit', vloekt Susan.

'Wie is dat?' roept Hugo. 'Johnny?'

'Ik weet het niet. Volgens de kaart zit hij op het strand, maar misschien heeft hij zich verplaatst.'

'Dat geloof ik niet', zegt Hugo, die zijn kalmte weer hervonden heeft. 'Waarom zou hij dat doen? Waarschijnlijk is die auto gewoon van een homo.'

Susan weet dat dat het gebied bekend staat als cruisegebied. Toen Stijn kleiner was zijn ze hier wel eens met hem naar het strand geweest, maar het idee dat mensen de bosjes gebruikten voor hun seksuele uitspattingen vond Susan dermate ranzig dat ze nooit meer terug zijn gekomen. Wel fietsen ze hier nog weleens met Stijn, over het fietspad dat naast de dijk ligt.

'Helemaal naar het eind', wijst ze. 'De pijl staat nu aan het einde van deze dijk.'

De auto achter hen haakt af en parkeert voor een strandtent. Dus toch een cruiser. Het is de enige auto op de grote parkeerplaats. Susan hoopt dat het geen probleem gaat worden. Een pottenkijker kunnen ze echt niet gebruiken.

Ze rijden door naar het eind van de dijk. 'Zet de lichten uit!' roept Susan. 'Straks ziet hij ons aankomen.'

Hugo doet wat ze zegt. Als ze het einde van de dijk naderen houdt hij in. 'We moeten de auto hier parkeren', zegt Hugo iets voor het eind. Ze hebben dit van tevoren besproken. Susan zal achter het stuur van de auto wachten, terwijl Hugo Stijn gaat halen. Het liefst wilde Susan mee, maar Hugo had gelijk toen hij zei dat een van hen bij de auto moet blijven zodat ze meteen weg kunnen rijden.

Susan knikt en stapt met trillende knieën uit. Ze loopt om de auto heen. Hugo lijkt de kalmte zelve. Beheerst opent hij het portier. Buiten pakt hij Susans hand en knijpt erin. 'Ik ga hem halen. Jij moet nu contact opnemen met Mondatjev.'

Susan knikt. Ze haalt haar telefoon uit haar broekzak. Hugo's hand glijdt in de binnenzak van zijn jasje en hij trekt er iets zwaars uit. Het wapen. Ze herkent het model onmiddellijk, een Smith & Wesson 21. Ironisch genoeg het wapen dat Johnny jarenlang bezat.

Hugo strijkt even over haar wang, draait zich dan zonder iets te zeggen om en verdwijnt in de donkere bosjes. Susan zet een paar stappen in de richting waarin hij net is verdwenen. Ze ziet alleen het schermpje van zijn telefoon nog zwak oplichten.

Ze draait zich om en loopt terug naar de auto. Ze heeft Mondatjev al ge-sms't dat hij naar Almere moet komen. Hij reageerde met een simpel "ja". Nu stuurt ze Mondatjev het beloofde sms'je met de precieze plaats en tijd. De tijd is een schatting, ze weet niet precies hoeveel tijd Hugo nodig heeft. Maar Mondatjev mag niet te laat komen.

Haar hart hamert in haar keel. Hugo is gewapend, maar hij heeft nog nooit geschoten. Hij weet niet eens hoe de Smith & Wesson werkt, hij kan niet richten en is niet bedacht op de terugslag van het wapen. Johnny heeft zo vaak geschoten dat hij het nog blind zou kunnen. Hoewel Hugo een pistool heeft, zal Johnny een vuurgevecht zeker winnen. Hugo's enige voordeel is het feit dat Johnny niet weet dat hij eraan komt.

Susan opent de kofferbak en tilt de mat op. Op de tast zoekt ze rond, tot haar vingers tegen een stuk hard, koud metaal stoten. Het is de MagLite die Hugo jaren geleden in zijn auto heeft gelegd voor pechgevallen. 'Een zaklamp moet je altijd bij je hebben', zei hij toen. Het is een klein, maar zwaar model. Als het nodig is, kan ze iemand ermee neerslaan. Tegen een pistool begint ze weinig, maar toch geeft het zware metaal in haar hand haar het gevoel dat ze niet helemaal weerloos is. Schijnzekerheid, dat weet ze zelf ook wel.

Hugo heeft gezegd dat ze moet instappen, maar ze blijft buiten de auto staan. Ze wil volgen wat er gebeurt, en ze wil Hugo te hulp schieten als het nodig is. De ronkende motor van de auto maakt het onmogelijk om te horen wat er verderop gebeurt. Al zou hij naar haar schreeuwen, dan nog zou ze het niet horen.

Susan buigt zich voorover de auto in en draait de sleutel om. Als Hugo eraan komt, heeft ze de auto zo weer gestart.

Zonder het geluid van de dieselmotor is het doodstil. Susan spitst haar oren, maar het enige wat ze hoort is het kabbelen van het Gooimeer, ook al zit er een rij struiken en een strand tussen. Ergens schreeuwt een vogel, misschien een uil.

Vlak bij haar knapt een tak. Met een ruk draait ze zich om. Ze luistert, maar hoort geen voetstappen. De wind ruist zacht door de struiken. Susan huivert, van angst en van het briesje dat dwars door haar dunne blouse heen dringt. Ze had een vest aan moeten trekken, maar dat is ze vergeten in haar haast om weg te gaan.

De nacht hangt stil en donker om haar heen. Het duurt lang voor Hugo terugkomt. Of is hij pas een paar minuten weg? Ze is het besef van tijd kwijt. Ze hoort geen stemmen, geen schoten, niets. Misschien kan Hugo Johnny niet vinden. Of is Stijn er niet.

Ze haalt diep adem en dwingt zichzelf rustig te blijven. De opkomende paniek is het laatste wat ze nu kan gebruiken. Susan klikt de zaklamp aan en schijnt ermee in de richting waarin Hugo is verdwenen, maar het enige wat ze ziet is een wirwar van takken. Even verderop loopt een paadje. Ze aarzelt.

Plotseling knapt er nog een tak, dichterbij deze keer. Susan weet zeker dat ze het goed heeft gehoord. Haar hartslag schiet omhoog. Ze richt de lichtbundel van de zaklamp op de struiken, maar ziet niets. De lichtstraal trilt, omdat haar handen trillen.

Het is weer stil, maar ze heeft sterker dan ooit het gevoel dat ze niet alleen is.

20

HAAR SNELLE EN ONREGELMATIGE ADEMHALING IS HET enige geluid dat de drukkende stilte doorbreekt. Het overstemt het gekabbel van de golfjes, en het incidentele geluid van een vogel.

Susan loopt om de auto heen. Ze hijgt van angst. Het enige wapen dat ze heeft is de zware zaklantaarn in haar hand.

Ze laat de lichtbundel van links naar rechts over de struiken glijden, maar registreert geen enkele beweging.

Ze slikt, maar haar mond is kurkdroog.

Achter haar klinkt het geluid van iemand die z'n keel schraapt.

Susans oren beginnen te suizen. Ze draait zich heel langzaam om en kijkt recht in de loop van een pistool.

'Dag, Susan.'

Ze herkent de rauwe stem en de licht Oost-Europese tongval onmiddellijk.

'Nadia?' vraagt ze desalniettemin ongelovig. Er spoelt een gevoel van opluchting door haar heen.

'Jemig, ik schrok me rot', zegt ze. 'Ik dacht dat je Johnny was.'

De reactie die Susan verwacht blijft echter uit. Haar vroegere vriendin houdt haar pistool recht op Susans voorhoofd gericht en de blik in haar ogen is spijkerhard.

'Naad', probeert Susan, 'waarom doe je dit?'

'Heb je het geld?'

'Hoe bedoel je?'

'Twee ton voor je kind. Dat is de deal.'

Susan kijkt haar ongelovig aan. Nadia wacht af, haar bleekblauwe ogen verraden niets.

'Het geld, Susan', zegt ze uiteindelijk. 'Twee ton, anders is Stijn er geweest.'

'Maar Hugo is...'

'Johnny rekent wel met Hugo af. Wij weten dat hij het geld niet bij zich heeft. Twee ton verstop je niet in je sok.'

'Maar Nadia...' Wanhoop begint zich van Susan meester te maken. Ze wil het pistool aan de kant duwen, maar als ze haar hand heft richt Nadia het wapen in de lucht en lost een schot. Uit de struiken vliegt een horde vogels op.

Susan staat te trillen als een rietje. 'Wat is er gebeurd?' vraagt ze zacht. 'Je zei dat je Johnny al jaren niet meer had gezien.'

Nadia richt het pistool weer op Susan. De loop wijst in de richting van haar borst. Susan voelt het gewicht van de zaklamp in haar hand. Ze schat haar kans in. Als ze Nadia in één keer weet te raken kan ze haar misschien uitschakelen, maar Nadia is sneller. Als zij de trekker overhaalt, is Susan kansloos. Ze verstevigt haar grip om de zaklamp, maar laat haar arm slap langs haar lichaam hangen.

'Ik had hem ook in geen jaren gezien', zegt Nadia. 'Tot hij me belde.'

'En hij beloofde je een deel van het geld', begrijpt Susan meteen.

'Ja.' Nadia's stem klinkt kalm, nonchalant bijna. Alsof het niet om het leven van Stijn gaat. Een paar seconden lang hoort Susan weer het geluid van de golfjes die de zachte bries in het meer teweegbrengt. Ze probeert iets op te vangen van geluiden verderop, maar het blijft akelig stil. Johnny weet dat Hugo eraan komt, Nadia moet het hem verteld hebben. Als alles goed was gegaan, was Hugo al terug geweest.

Eén kans, meer heeft ze niet. Eén snelle beweging om Nadia af te leiden en dan moet ze rennen. Ze moet Stijn gaan redden! Hugo kan dit niet alleen af. Johnny zit hem op te wachten met een hele serie aan wapens. De Smith & Wesson die Hugo in zijn hand heeft, begint daar weinig tegen.

'Je kunt hem redden', zegt Nadia. 'En dat kind van je ook. Je man had het geld niet bij zich, dus jij moet het hebben. Als je het nu aan mij geeft, zal Johnny hun geen haar krenken.'

'Ik wil bewijs', bluft Susan. 'Ik wil hen zien voor ik jou het geld geef.'

Er flikkert iets in Nadia's ogen. 'Eerst het geld.'

'Eerst mijn man en kind.' Susan heeft nu ook een harde blik, die zich in die van Nadia boort. Ze speelt hoog spel en heeft heel veel meer te verliezen dan Nadia, maar het is haar enige kans. Ze moet tijdrekken. Nog tien minuten, hooguit twaalf.

Mondatjev is onderweg.

'Denk aan je kind.'

Susan verstijft even. Een paar maanden geleden zou ze haar hand ervoor in het vuur hebben gestoken dat het Nadia's principe was om kinderen met rust te laten. Was dat alleen maar haar perceptie geweest?

'Susan.' De manier waarop Nadia haar naam uitspreekt herinnert haar aan tien jaar geleden, toen ze nog samen optrokken voor hetzelfde doel. Toen ze naast elkaar stonden, in plaats van tegenover elkaar. Toen ze zworen dat ze elkaar nooit in de steek zouden laten.

'Hoeveel krijg je?' vraagt Susan, alsof ze in de positie is om de koers van het gesprek te bepalen.

Nadia corrigeert haar niet. 'Een kwart.'

Susan kijkt minachtend. 'Dat je je daarmee laat afschepen.'

Nadia kijkt fel. 'Bek houden. Geef mij het geld en Johnny laat Hugo en Stijn gaan.'

Susan richt haar blik naar beneden en bekijkt ongeïnteresseerd haar nagels, alsof het pistool er niet is. 'Gelijk oversteken. Eerst mijn man en kind zien.'

'Ik kan jou ook overhoop knallen', dreigt Nadia. 'Dan gaan jullie er alle drie aan.'

Susan doet alsof ze die woorden niet heeft gehoord en houdt haar blik strak op de grond gericht. Haar hand hangt weer slap langs haar lichaam. In de andere houdt ze nog steeds de zaklamp. Ze voelt het gewicht ervan, ze draait het staal rond tussen haar vingers.

Even gebeurt er niets. Net als Nadia is zij niet van plan toe te geven. In de impasse probeert Susan tegen beter weten in geluiden op te vangen die erop wijzen dat Hugo in aantocht is. Het is doodstil. Ze heeft zich nooit gerealiseerd hoe verlaten het hier 's avonds is. Het duurt nog zeker de hele nacht voor de eerste hondenwandelaars hier komen, veel te lang om haar te kunnen helpen.

Ze kijkt naar Nadia. De harde trekken op haar gezicht, de smalle lippen die boos samengeknepen zijn. Susan had beter moeten weten, maar in de paniek om Stijn heeft ze geloofd dat Nadia echt bereid was haar te helpen. En misschien was ze dat ook wel, toen Johnny nog de klootzak was die van haar had gestolen. Maar voor geld doet ze alles.

Plotseling hoort ze een beweging achter zich. Een schelle kreet, takken die bewegen. Ze kijkt in een reflex om en ziet van dichtbij een buizerd opstijgen. Daarna kijkt ze weer naar Nadia, die de loop van het pistool nu vlak voor Susans voorhoofd heeft gebracht. 'Geen beweging', sist ze.

Er is geen andere manier. Als ze hier moet blijven staan gaan Hugo en Stijn eraan, en zijzelf uiteindelijk ook. Ze zal het risico moeten nemen, het is hun enige kans.

Hoewel Nadia tot het uiterste gespannen is, reageert ze niet meteen als Susan haar hand heft. Pas als Susans hand met daarin de zaklamp al op weg is naar haar buik graait Nadia ernaar, maar ze is te laat. Susan stoot het harde staal in Nadia's buik en hoort de kreet die zij slaakt. Het pistool klettert op de grond. Susan kan er niet snel genoeg bij om het op te rapen, maar ze geeft er met de punt van haar voet een schop tegenaan. Het wapen vliegt weg en landt verderop in het donker.

Daarna gaat het ineens heel snel. Nadia komt overeind met haar handen op haar buik. Susan heeft haar hard geslagen, maar niet hard genoeg om haar uit te schakelen.

Als ze zich omdraait en wegrent voelt ze een harde schop tegen haar enkel en het volgende moment ligt ze languit op de grond. Door de klap wordt de lucht uit haar longen geperst en ze hapt naar adem. Ze voelt een hand die zich om haar enkel sluit. De zaklamp is weggerold, maar ze kan er net bij. De lamp brandt niet meer.

Wild mept ze met het stuk metaal in Nadia's richting, terwijl ze probeert op te krabbelen. Ze raakt niets, maar de hand verdwijnt en ze kan overeind springen. In blinde angst rent ze om de motorkap van de BMW heen het lage talud af. Ze struikelt en komt hard op het asfalt van het lager liggende fietspad terecht. De zaklamp, die ze loslaat, maakt een kletterend geluid op de stenen.

Ze hoort Nadia achter zich. Ze springt overeind en rent verder naar het struikgewas. Susan voelt takken in haar gezicht striemen. Ze baant zich een weg door het taaie gewas. Als er een tak terugveert en in haar oog terechtkomt onderdrukt ze een kreet. Ze houdt geen moment haar pas in. Achter zich hoort ze rennende voetstappen en zwiepende takken. Nadia nadert haar met snelle passen. Ze is kleiner en leniger dan Susan en baant zich makkelijker een weg door de dichte struiken.

Susan vloekt binnensmonds als een nieuwe tak in haar gezicht slaat. Ze voelt een schaafwond branden, maar verbijt ook die pijn. Het bloed suist nu in haar oren en haar hart bonst zo luid dat ze Nadia niet meer achter zich hoort. Ze hijgt en heeft het gevoel dat haar longen scheuren, maar ze mindert geen moment vaart. Zo diep kan dit struikgewas niet zijn, ze moet nu bijna op het strand zijn.

Zonder in te houden werpt Susan een blik over haar schouder. Ze ziet Nadia niet, maar ze hoort de voetstappen. Ze grijpt een grote tak en buigt die omhoog. Ineens ziet ze het licht van de maan feller worden. Nog een paar passen en ze staat op het strand. Ze moet rechts aanhouden, dat is de richting waarin Hugo is gegaan.

Het rennen op het mulle zand is zwaar en een paar keer verstapt ze zich, maar ze weet haar evenwicht te bewaren. Door het licht van de maan kan ze de vorm van een klein hutje onderscheiden, enkele tientallen meters bij haar vandaan, half verscholen in het struikgewas. Er brandt een zwak lampje. Dat moet het zijn.

Opeens heeft Susan het gevoel dat Nadia haar ziet. Ze laat zich op de grond vallen en schuift door het zand terug naar het struikgewas. Ze kruipt onder de dichte bosjes en blijft even zo liggen. Ze moet opschieten. Voor het eerst heeft ze spijt dat ze Mondatjev heeft gebeld.

Ze houdt haar adem in als er voetstappen voorbij gaan, Nadia's voetstappen. Ze verdwijnen in de richting van het hutje.

Susan durft nauwelijks omhoog te komen en sluipt voorovergebogen door het struikgewas dat alleen maar dichter lijkt te worden. Af en toe vliegt er een vogel op, maar verder is het doodstil. Het is net alsof elke tak die ze opzij trekt een oorverdovend gedonder teweegbrengt. Maar als ze blijft staan om te luisteren of er iemand aankomt hoort ze niets.

De takken belemmeren haar het zicht. Het is september, de herfst heeft nog niet genoeg grip op de bomen om ze kaal te maken. De bladeren bieden haar bescherming, maar werken ook tegen haar.

Het laatste stukje legt ze rennend af. Eenmaal bij het hutje laat ze zich weer op haar knieën vallen. Hijgend.

Ze is nu zo dichtbij dat ze via het raampje aan de achterkant het plafond van het hutje kan zien, dat zwak wordt verlicht door een peertje. Susan sluit haar ogen om beter te kunnen luisteren, maar het is stil. Ze kruipt op haar buik over het zand naar de zijkant van het hutje. De constructie is zwak, er komt licht door de kieren in het hout. Ze hoort een mannenstem op boosaardige toon praten, maar het geluid is te zacht om te kunnen onderscheiden of het van Johnny of Hugo komt.

Susan voelt aan de plank naast haar hoofd. Het hout kraakt een beetje en geeft mee. Ze gluurt om een hoekje. Als ze in staat is de plank los te wrikken heeft ze iets waarmee ze zich kan verdedigen. Het is niet veel, maar beter dan niets.

Haar vingers vouwen zich stevig om het hout en ze trekt aan de plank. Voor haar gevoel klinkt het gekraak als een kanonschot door de nacht en snel laat ze de plank los. Ze luistert gespannen, maar vanuit het huisje komt geen enkele reactie. Ze waagt een nieuwe poging. Nu het hout is gespleten geeft het beter mee en na een paar keer wrikken laat de plank los. Hij is dunner en korter dan ze had gehoopt, maar als ze veel kracht zet moet ze iemand ermee kunnen verwonden.

Op haar buik kruipt ze door het logge zand verder naar de voorkant van het hutje. Haar armen protesteren hevig. Als ze bij de hoek komt ziet ze een deur, die scheef in de sponningen hangt. Door de kieren probeert Susan naar binnen te kijken. Ze ziet drie paar voeten. Hugo is inderdaad binnen!

Dicht bij de deur ziet ze stevige bergschoenen. Die moeten van Johnny zijn. Hugo staat een paar meter bij hem vandaan. Of zit, dat kan Susan niet zien. Nadia heeft een positie tegen de achterkant van het hutje ingenomen. In het midden staat een MagLite met de kop eraf geschroefd rechtop op de vloer. Het ziet er potsierlijk uit. Alsof iemand heeft geprobeerd het gezellig te maken. Susan hoort Nadia praten, maar het is te zacht om het te kunnen verstaan.

Ze kruipt een klein stukje verder door het zand in de hoop zo via een andere hoek het vervallen huisje binnen te kijken, maar haar gezichtspunt verandert nauwelijks. Ze ziet Stijn nergens. Misschien houdt Johnny of Nadia hem vast. Of Hugo, maar daar durft ze niet eens op te hopen.

Aan de andere kant van de deur is de kier groter. Als ze daar weet te komen, kan ze beter naar binnen kijken en een overzicht van de situatie krijgen.

Ze spitst haar oren, maar op de dijk lijkt alles nog rustig. De auto's die ze hoort zijn de voorbijrazende voertuigen op de A6.

Ze durft niet overeind te komen en schuift op haar buik voorbij de deur van het hutje. Nu ze beter kijkt ziet ze dat het hout scheef en snel in elkaar is getimmerd. Zou Johnny zijn schuilplaats zelf hebben gebouwd?

Als ze recht voor de deur ligt, kraakt het hout ineens. Susan kruipt verder en schuilt om de hoek, bang dat de deur elk moment open kan gaan. Haar hart hamert in haar keel. Ze kijkt voorzichtig om de hoek. Er is niets veranderd.

Susan gaat naast de deur liggen, met de plank in haar hand. De kier is groot, een centimeter of tien, en nu kan ze wel zien wat er binnen gebeurt. Hugo zit op een stoel, zijn armen met wit touw achter zijn rug vastgebonden. Johnny houdt een pistool recht op zijn hoofd gericht. Achter zijn broekband ziet Susan een tweede wapen. Ze herkent het pistool van Hugo.

Nadia staat in een hoek. Susan speurt de ruimte af op zoek naar Stijn, maar ze ziet hem niet. Door de kier kan ze niet de hele ruimte overzien. Misschien ligt Stijn net buiten haar gezichtsveld?

Ze richt haar blik op Hugo. Zijn armen zijn achter de leuning van de stoel vastgebonden.

Langzaamaan ontvouwt zich in haar hoofd een strategie. De plank in haar hand is klein, maar dik. Met één slag in zijn knieholtes kan ze Johnny drie, vier seconden uitschakelen. Plus een paar seconden omdat hij niet weet wat er gebeurt en zich moet oriënteren.

Ze bestudeert Nadia. Johnny heeft haar geen nieuw wapen gegeven, tenzij ze het in de band van haar broek tegen haar rug heeft gestoken. Als dat zo is, kan ze het grijpen en vuren nog voor Susan bij haar is.

Zodra ze Johnny een paar seconden heeft uitgeschakeld wil Susan zijn wapen pakken. Het tweede wapen is een probleem. Als hij er één kwijt is pakt hij de ander en vuurt hij alsnog. Ze zal het moeten pakken voor hij doorheeft wat er gebeurt, maar dat kost tijd en die tijd heeft ze niet.

Ze kruipt een paar centimeter op en kan nu wel net Hugo's handen achter zijn stoel zien. Er zitten stevige knopen in de touwen, en hij zit aan de stoel vastgebonden.

Susan komt een stukje overeind. Ze klemt de plank stevig in haar linkerhand en kijkt omhoog naar het slot van de deur. Het zit los, met haar hand kan ze de deur zo open duwen. Heel langzaam duwt ze met haar linkerhand tegen de houten plaat. Hij kraakt een beetje, maar het hele hutje kraakt en Johnny merkt het niet.

Ze ziet Nadia opkijken, haar blik ineens scherp op de deur gericht. De tijd is op, ze zal nu moeten handelen. Razendsnel duwt Susan de deur verder open en maakt een snoekduik naar binnen. Met alle kracht die ze uit zich kan persen ramt ze de plank in Johnny's knieholtes. Hij slaakt een kreet en valt op zijn knieën. Zijn pistool vliegt uit zijn handen. Meteen duikt Nadia ernaar.

Susan hoort Hugo schreeuwen. Ze graait naar het wapen tegen Johnny's rug, maar voelt alleen de ruwe stof van zijn spijkerbroek. Hij komt weer overeind. Ze ziet zijn arm, die zich als een bankschroef vastzet om haar bovenarm. Ze blijft met haar andere arm door de lucht maaien, tastend naar het wapen, maar Johnny zet haar aan de kant alsof ze niets weegt. Hij pakt de plank in haar hand en duwt hem hard naar beneden. Ze moet wel loslaten. Het geluid van brekend hout klinkt als een kanonschot.

Hijgend blijft Susan staan, haar beide armen in Johnny's ijzeren greep. Hij grijnst boosaardig naar haar. 'We misten je al.'

'Waar is Stijn godverdomme?' schreeuwt ze. 'Wat heb je met hem gedaan?'

'Ik heb hem.' Er klinkt zoveel minachtende triomf in Nadia's stem door dat Susan een rood waas voor haar ogen krijgt en zich in bochten wringt om los te komen uit Johnny's greep. Nadia houdt een deken in haar handen waar een stukje blond haar bovenuit komt. Hij beweegt niet. Het slaapmiddel! Ze vecht om los te komen uit Johnny's greep. 'Laat hem los, kutwijf!' gilt ze. 'Blijf van hem af!'

Maar haar poging stuit op Johnny's houdgreep en ze moet het opgeven, anders breekt hij met zijn blote handen het bot in haar arm.

'Je krijgt hem terug', zegt Johnny vlak bij haar oor. 'Voor twee ton.'

Susan zegt niets. Ze ontmoet Hugo's blik, hij kijkt wanhopig.

Plotseling laat Johnny haar los. Hij duwt haar bij zich vandaan en ze struikelt en valt voorover. Er ligt geen vloer, alleen landbouwplastic en ze landt zacht door het zand dat eronder zit. Meteen voelt ze een hard stuk metaal in haar rug.

'Zitten', beveelt Johnny. Hij port met het pistool tussen haar schouderbladen. Susan komt overeind. Ze kan niets doen, één verkeerde beweging en Johnny zal niet aarzelen zijn wapen te gebruiken.

Ze gaat op haar knieën zitten met haar gezicht naar hem toe. Ze zit op gelijke hoogte met Hugo en haar ogen flitsen opzij naar het touw dat zijn handen achter zijn rug samengebonden houdt. Er zitten twee knopen in, ze kan het niet losmaken.

'Twee ton', herhaalt Johnny. Hij haalt zijn pistool bij haar weg en zet een paar passen in Nadia's richting. Daarna zet hij het pistool tegen het hoofd van Stijn, die niet reageert en diep in slaap lijkt.

'Nu.'

Susan springt overeind en valt naar hem uit. Ze doet haar mond open om te schreeuwen, maar Johnny is sneller. Hij maait met het pistool in haar richting en raakt haar hard op haar slaap. Susan valt achterover en ziet witte flitsen voor haar ogen. Ze brengt haar hand naar de zijkant van haar hoofd en voelt een warme, kleverige vloeistof. Als ze naar haar vingers kijkt zijn ze donkerrood.

'Daar blijven', sist Johnny. 'Het geld, Susan. Je betaalt me terug of hij is er geweest.'

Susan hoort Hugo naast zich licht hijgen van de spanning. Op zijn voorhoofd parelen zweetdruppels. Hij zit zo stevig vast dat hij zijn romp nog geen halve centimeter kan bewegen. Ze loert op het uiteinde van het touw. Ze kan het losmaken als Johnny niet kijkt, maar zijn haviksogen ontgaat niets.

Van buiten klinkt een geluid. Susan houdt haar adem in. Het geluid klinkt uit de verte, maar het is overduidelijk een auto die stopt. Dé auto.

Johnny heeft het ook gehoord. Hij heft zijn pistool. 'Wat is dat?'

'Daar komt je geld', zegt Susan. Ze slaat haar ogen niet neer onder Johnny's spijkerharde blik.

Susan ontmoet Nadia's blik. Ze ziet de paniek erin groeien. 'Wie zijn dat?' vraagt ze aan haar broer.

Behoedzaam loopt Johnny naar buiten, zijn wapen geheven. Susan schat haar kansen in, maar Nadia beschikt over twee pistolen die ze beide op haar en Hugo gericht houdt.

'Godverdomme!' Snel trekt hij zich terug in het hutje.

Susan richt haar blik op hem. 'Ben je niet blij om je oude vrienden te zien?'

'Kop houden!'

In een flits ziet ze Johnny op zich afkomen. Ze duikt weg, maar hij is sneller. Zijn nagels krassen over haar armen. Ze trapt uit alle macht naar achteren, maar ze voelt zijn greep om haar benen.

Razendsnel kijkt ze om zich heen. Het enige wat ze nog kan doen is ervoor zorgen dat Hugo weg kan komen, met Stijn. Ze maait met haar hand in de richting van het touw, maar mist. Bijna zijn haar vingers buiten bereik van het touw. Nog één poging, nog één kans.

Ze doet een laatste uitval terwijl Johnny haar aan haar benen wegtrekt. Haar vingers raken het stroeve materiaal en ze grijpt het vast. Ze trekt en duwt het uiteinde van het touw door de lus. Eén knoop is los. Terwijl Johnny aan haar benen trekt en ondertussen naar buiten probeert te kijken om te zien wie eraan komt, probeert ze de tweede knoop los te maken. Het stroeve touw geeft niet makkelijk mee en ze moet harder trekken.

Plotseling schiet het touw los, net op het moment dat Johnny een nieuwe ruk geeft en Susan naar achteren wordt getrokken.

Even is ze bang dat Hugo zich om haar zal bekommeren. Ze ziet de twijfel op zijn gezicht. 'Hugo, pak Stijn!' gilt Susan uit alle macht. Vanuit haar ooghoeken ziet ze hoe Nadia zich uit de voeten maakt met Stijn in haar armen. Hugo ziet het ook. Hij aarzelt geen moment langer en spurt achter haar aan.

Susan ziet de twijfel in Johnny's ogen. Hij wil achter Stijn aan, maar dat betekent dat hij de Russen tegenkomt. En dat hij Susan moet laten gaan.

Het volgende moment trekt Johnny haar aan haar armen overeind en neemt haar in een houdgreep. Hij sleurt haar naar buiten. Susan krijgt geen tijd om haar voeten neer te zetten, ze krabbelt door het zand, overeind gehouden door Johnny's stalen arm. Haar hoofdwond steekt gemeen en maakt haar duizelig.

Susan ziet flitsen van figuren in zwarte jassen. Johnny rent verder en trekt haar mee.

Plotseling klinkt er een schot en naast haar ploft iets in het zand. Een kogel. Het zand spat op en Johnny versnelt zijn pas.

Susan hoort het vuren van een nieuwe kogel, maar die gaat langs hen heen.

Dan verandert de zandgrond in hout. Links en rechts hoort ze water klotsen. Johnny rent over een steiger, waarvan Susan niet eens wist dat die hier was. Lang is de steiger niet, ineens staat Johnny stil. Hij trekt haar naar voren en haar voeten zwaaien door de lucht. Ze landt hard en slaakt een kreet. Pijn schiet door haar rug.

Ze krijgt geen tijd om adem te halen, het volgende moment zit Johnny bovenop haar. Met woeste bewegingen trekt hij aan een soort koord dat zich achter Susan bevindt. Het maakt een gierend geluid. Even kan ze het niet plaatsen, dan realiseert ze zich dat Johnny de motor van een bootje aan de gang probeert te krijgen.

Ze hoort voetstappen op het hout van de steiger en er slaat een kogel naast haar in het water, net op het moment dat de motor start. Johnny verschuift en Susan werkt zich onder hem vandaan. Ze voelt de boot tegen de golven slaan als ze eroverheen varen. Ze pakt de rand, maar Johnny mept haar handen weg. 'Zitten blijven!' schreeuwt hij. Hij staat aan het roer en jakkert over de golven. Ze zitten op een soort speedboot, met in het midden een roer en een klein spatraam. Gestolen, vermoedt Susan.

Het meer is koud en donker, maar als ze erin slaagt snel overboord te springen kan ze terugzwemmen naar de kant.

Ze hoort een geluid achter zich. Een tweede motor. De lichtpunten van twee zaklantaarns schitteren enkele tientallen meters achter hen. Mondatjev en zijn mannen hebben de achtervolging ingezet.

Susan grijpt opnieuw de rand vast, maar Johnny geeft een harde schop tegen haar handen waardoor ze moet loslaten. Ze valt op de bodem en Johnny gaat met zijn volle gewicht boven op haar staan, terwijl hij zijn handen aan het roer houdt. Susan probeert haar handen voor haar buik te slaan, maar hij is sterker.

Niet de baby ook nog.

Susan kronkelt om onder hem vandaan te komen. Ze kan zich net genoeg oprichten om naar de naderende boot te kijken. Mondatjev is sneller. Ze moet hier weg, en razendsnel.

Het leek zo'n goed idee om Mondatjev in te schakelen. Hij kon het afmaken.

Susan probeert niet te rillen, maar het water dat in golven over de boot slaat heeft haar doornat gemaakt en ze bibbert van de kou.

Susan realiseert zich dat ze veel te dicht bij Johnny is. In een bewegende boot met een klein kaliber pistool zoals de mannen van Mondatjev hebben, is het vrijwel onmogelijk zo goed te richten dat zij buiten schot blijft. Ze weet niet of Mondatjevs mannen ook aan boord zijn. Susan heeft hun machinegeweren gezien, maar vanaf het strand kunnen ze daar niets mee. Ze probeert haar hoofd te draaien om te zien of ze in de boot zijn, maar Johnny reageert er onmiddellijk op. Hij ramt zijn vuist in haar maag waardoor ze naar lucht moet happen.

Even hoort ze niets, maar als ze weer wat adem krijgt merkt ze dat het geluid van de motor luider wordt. Het is niet de motor van hun eigen boot, het is die van Mondatjev. Susan voelt Johnny verstrakken, hij vloekt hard en ramt tegen de hendel, maar die staat al helemaal open. De boot kan niet harder en Mondatjev is bezig hen in te halen. Nu ziet Susan de twee donkere figuren voor op zijn boot. Hun geweren blikkeren in het maanlicht.

De kogel slaat met een oorverdovende klap in de zijkant van de boot. Susan slaakt een gil. Johnny wijkt naar achteren waardoor hij haar moet loslaten. Ze duikt weg, naar het andere eind van de boot, zo ver mogelijk bij Johnny vandaan. Het schiet door haar heen dat het ironisch is dat ze nu weer een strijd met Johnny moet uitvechten op een boot.

De tweede kogel suist vlak over haar heen, ze voelt haar haren bewegen in de baan ervan. Hij landt achter haar in het water. Meteen daarna volgen de derde en vierde kogel. De knallen zijn afgemeten, droog, gedoseerd, alsof de schutters hun kogels liever voor een ander moment sparen.

Bij het vijfde schot hoort ze Johnny schreeuwen. De boot slaat heftig heen en weer als hij wankelt. Susan springt op nu Johnny haar niet langer neerdrukt. Is hij geraakt?

Op het moment dat Johnny omvalt helt de boot over naar links en meteen daarna naar rechts. Susan wankelt hevig en probeert zich ergens aan vast te grijpen, maar ze tast in de lucht. Ze voelt haar benen onder zich wegslaan als de boot opnieuw overhelt en als ze landt knalt ze met haar rug op de rand van de boot. Haar nagels krassen over het harde plastic, maar ze vindt geen houvast. De boot schiet over een golf. Susan voelt hoe ze gelanceerd wordt.

Ze kan nog net een teug lucht nemen voor ze op haar rug in het water terechtkomt. Meteen gaat ze kopje onder en hoewel ze wild met haar armen en benen trapt, zakt ze alleen maar dieper. Het water sluit zich als een net om haar heen en overal is het donker. De lucht is weg uit haar longen. Ze voelt zich langzaam wegglijden in helemaal niets.

Met een schok die haar lichaam in brand lijkt te zetten begint ze weer te trappen. Ze mag niet opgeven. Voor Stijn, voor Hugo, en voor de baby in haar buik. Met hun beeld stevig gebrand op haar netvlies begint Susan zich een weg omhoog te banen. Het water lijkt zo dik als stroop en ze heeft het gevoel dat ze nauwelijks vooruitkomt. Gaat ze wel omhoog? Het besef van boven en beneden is weg. Misschien zwemt ze wel dieper naar de bodem, ze weet het echt niet.

Achter haar ogen ziet ze witte flitsen en haar longen schreeuwen om zuurstof, maar Susan gaat stug door. Haar benen verzuren, haar armen kunnen niet meer. Ze staat zichzelf niet toe om in te ademen, maar toch komt er water in haar keel terecht. Ze moet hoesten, en er komt meer water haar mond binnen.

En dan is het ineens voorbij. Hysterisch hoestend komt Susan boven water. Ze zuigt lucht naar binnen en de flitsen verdwijnen. Ze speurt het wateroppervlak af. In het maanlicht ziet ze een boot dobberen. Met langzame slagen zwemt ze erheen. Haar benen zijn verkrampt en de pijn is ondraaglijk, maar ze moet verder. Ze moet het weten.

Het lichaam hangt half over de rand. Zijn starende ogen verraden dat hij dood is. Susan zuigt een hap lucht naar binnen als ze het ziet. Uit een perfect rond gaatje op zijn slaap druppelt bloed, dat meteen in het donkere water wordt verzwolgen. Susan richt zich op uit het water en grijpt de rand van de boot. Ze hoort lucht ontsnappen aan zijn mond en duwt meteen de boot van zich af. Hijgend blijft ze even in het water liggen.

Hij is dood, het kan niet anders. Dode mensen kunnen nog ademen en zelfs nog geluid maken, dat heeft ze eens op internet gelezen. Ontsnappende lucht, een laatste stuiptrekking van een zenuw – dood en doodstil is niet altijd hetzelfde.

Ze zwemt een paar slagen en komt weer bij de boot uit. Ze trekt zich op en kijkt over de rand. Op de bodem van de boot ligt een plas donkere vloeistof.

Bloed.

Nu ze beter kijkt ziet ze het. Johnny's lichaam is doorzeefd met kogels. De Russen hebben geen half werk geleverd. Zijn leren jack is aan flarden geschoten en van zijn nek tot zijn knieën telt Susan twaalf kogelgaten, en dan raakt ze de tel kwijt.

Verderop, bij de kleine aanlegsteiger, ziet ze beweging. Drie schimmen stappen uit een boot en lopen de steiger af. De Russen. Hun werk zit erop en ze verdwijnen in de nacht om niet meer gevonden te worden. Tientallen liquidaties zijn op deze manier uitgevoerd. Susan kent de verhalen, en niet alleen uit de krant. De politie zoekt, maar kan niet vinden.

Plotseling merkt ze dat de boot begint te zakken. Door haar gewicht op de rand is er water binnengestroomd via de gaten die de kogels aan de zijkant hebben geslagen. Het water vermengt zich met het bloed tot een substantie die lichtroze schittert in het maanlicht. Susan houdt de boot lang genoeg vast om hem halfvol water te laten lopen en dan hoeft ze niets meer te doen. Steeds sneller zakt het bootje naar de beneden en als uiteindelijk de rand onder water verdwijnt, blijft Johnny nog even drijven.

Lang duurt dat niet. Susan kijkt toe terwijl het lichaam van Johnny langzaam begint te zinken. De kogelgaten vervullen haar met geen enkele weerzin, eerder met voldoening. Ze blijft in het water hangen, watertrappelend, tot het lichaam helemaal onder het oppervlak is verdwenen.

21

SUSAN HERKENT IN DE VORMELOZE BULT GEEN LICHAAM tot ze er vlak naast staat. Het ligt half onder de struiken verscholen, een deel ervan op het asfalt van het fietspad. Het zijn dezelfde struiken waar ze zich eerder vanavond nog een weg doorheen moest banen op weg naar het hutje. Iemand, ze weet niet wie, heeft de zaklamp die binnen in het huisje overeind stond weggehaald en het vervallen bouwwerk wordt opgeslokt in het donker. Er is niets meer van te zien, ook al moet ze er niet ver vanaf staan.

Susan kijkt naar het lichaam aan haar voeten. Ze houdt haar hoofd schuin en bestudeert het hoofd. De neus staat scheef en er druppelt bloed uit, de ogen zijn gezwollen en gaan bijna niet meer open. Maar het is onmiskenbaar Nadia.

Dit moet Hugo's werk zijn. Ze denkt niet dat hij ooit eerder iemand in elkaar heeft geslagen.

Er ontsnapt een kreun aan Nadia's lippen. 'Help me', maakt Susan eruit op. Ze piekert er niet over. Nadia redt zichzelf wel, Hugo heeft haar toegetakeld maar niet zo ernstig dat het haar fataal kan worden.

'Naar dat geld kun je fluiten', zegt ze, voorovergebogen zodat ze zeker weet dat Nadia het hoort. 'Je broer heeft zijn laatste kunstje geflikt.'

Nadia mompelt nog iets, Susan meent een vloek te verstaan. Maar ze luistert eigenlijk al niet meer. Ze loopt verder het fietspad af. De dijk is verlaten. Hugo heeft naar haar geluisterd en is met Stijn weggegaan.

Plotseling hoort ze het geronk van een motor. Het geluid is dichtbij, veel dichterbij dan de voorbijrazende auto's op de A6, die hier vlak langsloopt. Susan kijkt om zich heen en probeert het geluid te lokaliseren. Haar hartslag stijgt. Is het dan nog niet voorbij?

Vanachter de dijk duikt een donkere auto op. Gras spat op als de bestuurder om een geblokkeerd weggedeelte heen stuurt. Opeens herkent ze de BMW.

Ze rukt het achterportier open en grijpt het slappe bundeltje op de achterbank. 'Stijn...' Ze drukt haar zoontje zo hard tegen zich aan dat hij zachtjes kreunt. Het is het mooiste geluid dat Susan ooit heeft gehoord. Hij leeft! Hij wordt wakker uit wat het ook is dat Johnny hem heeft gegeven om hem te laten slapen.

Susan knalt het portier dicht en laat zich vervolgens op de passagiersstoel vallen. Meteen voelt ze Hugo's vertrouwde armen die haar en Stijn omhelzen. Op zijn gezicht zit bloed, maar hij grijnst en kust haar. 'Je bent er.' Hij pakt een witte zakdoek en duwt die tegen haar hoofdwond.

Ze pakt het doekje aan. 'Heb jij Nadia...'

'Ja.' Het antwoord klinkt droog. Susan kijkt naar Hugo. De brave echtgenoot die ze dacht te hebben. Hij kijkt onaangedaan terug. 'Ze komt er wel overheen. Waar is Johnny?'

'De Russen hebben met hem afgerekend. We zijn van hem af.'

Hugo knikt en geeft gas. Allebei zeggen ze niets meer.

Van onder de deken in haar armen klinkt heel zacht een stemmetje. 'Mama.'

Susan heeft het gevoel dat haar hart uit elkaar knapt. Heel zacht geeft ze een kusje op Stijns blonde haar. 'We gaan naar huis, lieverd.'

Epiloog

ZACHTJES WIEGT SUSAN DE KINDERWAGEN HEEN EN weer. Ze kijkt genietend om zich heen. De eerste dag van de zomer en het is stralend weer. Stijn gaat voor de tiende keer van de glijbaan en gilt het uit van plezier. Uit de kinderwagen klinkt wat gemurmel. Ze staat op en pakt het speentje, dat naast Brams hoofd terecht is gekomen en stopt het in zijn mond. Meteen begint de baby tevreden te sabbelen en al snel vallen zijn oogjes dicht. Susan strijkt even met haar vinger over zijn bijna kale bolletje en gaat dan weer op het bankje zitten.

'Doe je voorzichtig?' roept ze tegen Stijn, die nu op de schommel zit en steeds hoger gaat. Hij kan het zelf, ze hoeft hem niet meer te duwen.

'Kijk eens hoe hoog ik kan, mama!' roept hij uitgelaten.

'Goed zo, vent.'

Susan kijkt naar Stijn. Vier jaar is hij nu, sinds kort gaat hij naar school.

Het gaat goed met hem, gelukkig. Na de ontvoering had Susan dat bijna niet durven hopen. Stijn was bang en huilde veel. Als hij alleen was, raakte hij in paniek, daarom sliep hij bij hen in bed. Maar dat was niet genoeg. Hij had nachtmerries, waaruit hij gillend wakker werd. Zo erg dat ze hulp voor hem zochten. Door de therapie ging het langzaamaan beter met Stijn, hij werd weer de vrolijke kleuter die ze kenden en had het niet meer over wat er was gebeurd. De eerste nacht dat hij weer in zijn eigen bed sliep, vlak voor de geboorte van de baby, huilde Susan. Alsof het een definitieve afsluiting was, al had de therapeut gezegd dat ze alert moesten blijven op signalen dat het trauma niet goed verwerkt was. Maar Susan heeft het gevoel dat Stijn het onbewust een plekje heeft gegeven. Hij heeft gelukkig ook niet alles meegekregen. Zijn de slaappillen die Johnny hem heeft gegeven toch nog ergens goed voor geweest.

Hugo is een heel ander verhaal. Susan kan nog verdrietig worden als ze denkt aan de ellenlange gesprekken die ze hebben gevoerd, en waarin het vooral duidelijk werd dat Hugo's vertrouwen een enorme knauw had opgelopen. Een paar keer tijdens die gesprekken raakte Susan ervan overtuigd dat het niet meer goed kon komen, dat er niets was waarmee ze Hugo's vertrouwen kon herstellen. Maar als ze daardoor verdrietig raakte, troostte Hugo haar en dan wist ze dat er nog hoop was. Ze vertelde over Johnny, hoe ze tegen hem op had gekeken, al voor de dood van haar ouders. En hoe hij de leegte invulde nadat eerst haar vader en later ook haar moeder was gestorven. Hugo begreep dat Johnny destijds de enige was die zich om haar bekommerde en dat dat de reden was dat ze steeds meer van hem in de ban was geraakt. Uiteindelijk, nadat hij talloze vragen had gesteld en zij ze allemaal had beantwoord, zei hij dat hij weliswaar niet kon begrijpen dat ze nooit eerder open tegenover hem was geweest, maar dat hij haar haar leugens zou vergeven. En dat hij het erg voor haar vond wat ze had meegemaakt. Ze moest zich ontzettend eenzaam hebben gevoeld, zei hij, en daarmee sloeg hij de spijker op zijn kop, wat Susan eens te meer deed beseffen dat ze met Hugo een lot uit de loterij heeft gekregen. Het winnende lot.

Maar één ding vertelde ze niet.

'Ik kan nog hoger, mama!' roept Stijn haar toe vanaf de schommel.

Susan schrikt op uit haar overpeinzingen. Ze steekt haar duim naar hem op. In de wagen maakt Bram weer klaaglijke geluidjes en ze begint opnieuw te wiegen.